Dahlia's en sneeuw

D0755382

Bij Uitgeverij Conserve verscheen eerder van Kester Freriks
Madelon. Het verborgen leven van Madelon Székely-Lulofs
In voorbereiding *Gehuwde dochter,* roman

Andere boeken van Kester Freriks

Grand Hotel Lembang. Verhalen 1979
Hölderlins toren. Roman 1981 (Van der Hoogt-prijs 1982)
Soevereine actrice. Verhalen 1983
Domino. Roman 1988
De wespendief. Toneel 1992
In zilveren harnas. Roman 1993
Zuidzuidoost. Toneel 1995
Ogenzwart. Roman 1997
Lippenrood. Gedichten 1997
De bruid van Elswout. Novelle 1998
Eeuwig Indië. Verhalen 1998
Koningswens. Roman 2001
Ons Koninkrijk. Toneel 2006

Friedrich Hölderlin: *Onder een ijzeren hemel*. Brieven.
Vertaling 1990
Geheim Indië. Het leven van Maria Dermoût 1888-1962.
Biografie 2000

KESTER FRERIKS

Dahlia's en sneeuw

Roman

UITGEVERIJ CONSERVE

CIP-gegevens Koninklijke Bibliotheek, Den Haag

Freriks, Kester

Kester Freriks – *Dahlia's en sneeuw* – roman
Schoorl: Conserve
ISBN: 978 90 5429 257 9
NUR: 301
Trefw.: roman; ouderdom; schilderkunst

© 2008 Kester Freriks en Uitgeverij Conserve

Niets uit deze uitgave mag worden verveelvoudigd en/of openbaar gemaakt door middel van druk, fotokopie, microfilm of op welke andere wijze ook zonder voorafgaande schriftelijke toestemming van de uitgever.
No part of this book may be reproduced in any form, by print, photoprint, microfilm or any other means, without written permission from the Publisher.

Inhoud

Jongensgenade	7
Feestslingers	46
Meisjesnacht	75
Zonnewende	107
Envoi	136

Speel als de sterkere, dat wil zeggen de zachtere. Wie rigide is breekt namelijk, maar wie soepel is buigt door – en verheft zich.

August Strindberg

Voor de orkestmeester. Een nachtlied. Een lied van overgave, want op U wacht ik, en op U alleen, o Eeuwige.

Gerard Kornelis van het Reve,
Nader tot U

Jongensgenade

Vanochtend ben ik tegen een glazen wand gelopen. Het was nog vroeg, de tuin achter de ruit lag in het schemerduister. Het harde glas raakte mijn voorhoofd. De pijn ging snel voorbij. Ik dacht dat een van de tuindeuren wijdopen stond, zoals op een warme zomeravond de deuren en ramen openstaan. Het leek of er een stem diep achter in de tuin klonk. Ik luisterde ernaar. Ik hield mijn hoofd schuin om de klank beter op te vangen. Riep iemand me? Het leek zo.

Ik moest opstaan en uit bed gaan, want mijn man heeft gezegd dat er vanmiddag iemand komt om een portret van mij te schilderen. Ja, een schilder. Ik moet de goede kleren bij elkaar zoeken. Ik vind dat cyclaamrood mij goed staat. En lippenstift natuurlijk, ook rood. Oorbellen. Waar heb ik mijn witte oorbellen gelaten met het sierrandje van goud erlangs?

Mijn man zegt dat hij een dierbare herinnering aan mij wil bewaren. 'Flatteus,' noemt hij dat. Ik leef nog volop en wil niet zoiets zijn als een 'dierbare herinnering'.

Een herinnering voor later. Hij zei het met zachte, bijna fluisterende stem. Alsof hij het niet echt durfde. Toch was het een snijdende zin. Aan later denk ik niet. Mijn jeugd krijg ik niet terug, of toch misschien? Er is niets verloren, de harde ruit heeft me wakker gemaakt. Uiteindelijk staat ons niets anders te wachten dan de trieste flarden van het oud worden. Ik moet me omdraaien, de kamerdeur achter me mag niet in het slot vallen. Dan ben ik gevangen.

'Flatteus.'

Vreemd woord nu ik het hardop zeg. Vleiend, dus. Het maakt me moe er altijd mooi uit te moeten zien. Voor mij hoeft het niet. Die portretschilder kan ook werken naar een foto die mijn man hem geeft van een van onze laatste vakanties, Zwitserland bijvoorbeeld, Lugano, ergens aan een meer dat ook zo heet. Bergen eromheen. Geraniums in de vensterbanken van de huizen. De avondzon die een vreemde kilte verspreidde, alsof alle kleur werd uitgewist. Moet ik daartoe uren lang stilzitten?

Ik mag niet vergeten mijn nagels te lakken. Rood. Dat vind ik belangrijker dan ordinaire lippenstift. Ik hoop dat de man die straks komt ook mijn handen schildert, juist mijn handen.

Het was niet de stem van een volwassen iemand die ik hoorde. Eerder van een kind. Jongen of meisje, dat kon ik niet uitmaken.

Ik wilde weten waar die stem vandaan kwam. Ik meende het begin van een kinderliedje te horen. Ik weet het niet zeker.

Als ik me vergis, dan komt dat door het donker.

Ik leg mijn hand op het koude glas. Het is weldadig. Ik beweeg mijn koele hand naar mijn voorhoofd. De pijn is al verdwenen.

Wel kan ik mijn ene schouder moeilijk bewegen. Er is iets strams aan. Dat hindert niet. Ik kan lopen, me bewegen. Ik kan wat veel mensen kunnen, alle mensen. Opstaan, uit de slaapkamer sluipen, de trap af, de gang door en naar buiten gaan. Diep ademhalen in de frisse morgen. Het is nu herfst geworden en de kou 's morgens is vroeg gekomen.

Aan de hemel was het lichter dan tussen de struiken en bomen. Ik zag de grillige lijnen van de takken, de twijgen die elkaar raakten. Een fijnmazig net. Het was bladstil, alsof iemand de wereld had stopgezet. Een flard ochtendnevel dreef laag boven het gras. Ik kon geen vogels horen zingen. De huizen aan de andere kant van de tuin hielden zich schuil. Achtertuinen grenzen aan achtertuinen. Dicht struikgewas en hoge bomen staan tussen ons in. Daarom denkt iedereen dat ons huis er verlaten en verborgen bij ligt.

Als het weer goed is, hangt het wasgoed ook 's nachts aan de lijnen. Dat mocht nooit van mijn moeder.

'Wasgoed is 's nachts niet veilig,' zei ze. 'Dan komen er mannen en die nemen alles mee.'

Als klein meisje was ik bang voor deze woorden. Ik zag morsige mannen in zwarte pakken over de schutting klimmen of door het tuinhek komen. Hun handen graaiden in het wilde weg rond tussen de lakens, mijn jurken, rokken, blouses, kussenslopen, ondergoed en onderjurken, die van zo zachte stof zijn als zijde. Ze woelden erdoor, roofden de zoete intimiteit van mijn kleren. In hun handen raakte het allemaal verkreukeld. Dan zou ik zo'n onderjurk nooit meer durven dragen, eenmaal bezoedeld door die vreemde mannenhanden. Alsof ze in dat wasgoed naar iets op zoek waren wat bij mij hoort, wat niet van die mannen is, en die wie weet mijn goed van de knijpers lostrokken en meenamen naar ik weet niet waar.

Als het hard waait, grijpt de wind ook in het wuivende, schone goed.

Nergens brandde licht, vannacht, 's morgens vroeg. Ik herinner me dat altijd ergens het schijnsel van een lamp door het donker valt. We wonen niet echt in de stad, meer aan de rand, waar de bebouwing ophoudt. Niet ver van ons huis begint een bosrijk gebied. Eigenlijk is dit een dorp, Mariënlo heet het. De stad bestaat helemaal niet, ik kom er nooit meer en de weg erheen ben ik vergeten. Er lopen paden dwars door het bos.

Vroeger kwam ik elke dag in de stad.

Als het hard waait, duwt de wind het land in zee.

Sommige paden zijn dichtgegroeid en overwoekerd door braam of brandnetel, struik of gewas. Ik ken er de weg. Ik weet waar een splitsing is of waar de bospaden elkaar kruisen, en welke richting ik zal kiezen.

Ik moet niet vergeten dat de twee eikenbomen op elkaar lijken. Als ik het bos inga, dan moet ik die ene boom met het bordje waarop 'Sterrenbos' staat aan mijn linkerhand houden. Keer ik halverwege om en ga ik terug naar huis, houd ik diezelfde boom rechts. Anders verdwaal ik. Mijn man zegt dat elke dag tegen me. Alsof ik niet weet dat ik de paden moet volgen. Mijn man leeft in een andere wereld.

Hij denkt dat ik met opzet verdwaal, zodat hij me moet gaan zoeken. Soms duurt dat uren lang. Ik hoor zijn stem weerkaatsen onder de boomkruinen. Ik houd me schuil en laat me niet zien. Het is maar een spel. Ik raak de weg kwijt in het bos en weet toch zeker dat ik straks thuiskom.

Elke dag moet ik opnieuw proberen verder te leven. Mijn koffie te drinken.

Voor mijn man is het goed dat ik hem naar buiten lok. Anders verdwijnt hij achter de krant. Een man in een stoel, gevangen in het kegelvormige licht van de schemerlamp. Hij heeft zijn eigen boeken, die ik nooit lees. Over luchtvaart en oorlog, geschiedenis en verre eilanden.

Koloniën, noemt hij die. Overzeese koloniën zelfs.

Mijn man zegt dat ik ooit overzee ben geweest. Dat de smalle, scherpe bladeren van palmbomen als een ruisende krans rond mijn gezicht stonden en dat de branding met hoge golven op het strand slaat. Er zijn schildpadden die door de lucht vliegen. Ik droeg daarginds kleurrijke jurken met bloemmotieven. Zegt hij. Waarom beweert hij zoiets? Er zijn ook vogels die onder water vliegen.

Ik ben in de stad geweest, niet overzee.

Duisternis valt snel in. Soms kort na zeven uur 's avonds. En het is pas oktober. Gisteravond ben ik vroeg door mijn man naar bed gebracht. Hij verheft altijd zijn stem als hij wil dat ik ga slapen. Ik laat hem maar begaan. Ik weet dat ik al voor het ochtendlicht wakker word en dan naar buiten wil.

'Iets onbenoembaars,' heet het vaak in vertellingen, of: 'Iets onbeschrijfelijks'. Meestal vind ik dat een uitvlucht om niet naar woorden te hoeven zoeken. Toch begin ik te begrijpen dat mijn verhaal werkelijk met iets te maken heeft dat naamloos is, waarvan je sprakeloos wordt, waarvoor zelfs ik de woorden niet kan vinden.

Soms klinken flarden uit een lied in mijn hoofd of uit een muziekstuk, iets voor piano bijvoorbeeld. Gezongen woorden klinken opnieuw. *Et les femmes se souvenant des chansons tristes des veillées.* Soms hoor ik niets, hoor ik alleen hoe stil en leeg het hier in huis aan het worden is. Er zijn ook zinnen uit boeken die plots in mijn geheugen opduiken. Citaten die ik ooit mooi en betekenisvol vond. Zonder herinneringen ben ik niets.

In goede tijden deed mijn man de deur die op het terras uitkwam niet op slot, of hij liet de sleutel erin. Het was net een paradijs. In de goede tijd van de kinderen lag er speelgoed op het terras, spoorrails, een plastic trein zonder wielen, een schip, zandvormen. Soms is het alsof ik het speelgoed weer zie liggen, verregend, kapot.

Er zijn van die wonderlijke momenten waarop alles in mijn hoofd plotseling is verdwenen. Ik sta voorovergebogen aan het aanrecht. Mijn gezicht wordt vervormd in de glanzende, halfronde zijkant van de pannen. In de geiser vlak voor mij brandt een blauw-gele waakvlam die lijkt te dansen in het donker. Op dat ogenblik bedenk ik dat ik naar de eettafel moet gaan om de laatste borden van de maaltijd naar de keuken te brengen. Ik sta daar. En weet niets. Net of plotseling het licht is uitgedraaid. Het duurt een paar tellen, de laatste tijd langer, voordat ik besef wat ik van plan was te gaan doen. Het is of mijn bewustzijn plotseling achteruitdeinst. Ik schrik. Het wordt zwart voor mijn ogen. Ik laat de afwasborstel uit mijn hand vallen. Het schuim spettert tegen mijn schoenen.

Huissleutels. Raakte ik altijd kwijt. De angst het huis niet binnen te kunnen.

Kijk, buiten komt meer licht. Aan mijn spiegelbeeld in het raam zie ik dat ik een haarlok wegstrijk van mijn voorhoofd. In het midden van het grasveld prijkt een zonnewijzer op een stenen console. De bemoste voet heb ik een paar keer schoon geboend, op mijn knieën. Mijn handen zagen rood en ruw van het zeepsop. Maar na een paar regenbuien en wat zonneschijn komt het mos terug en kan ik opnieuw beginnen met borstelen.

De kinderen bliezen ooit bellen met zeepsop. De glanzende bellen waaiden omhoog en spatten tegen de hemel uit elkaar.

De wijzer staat er al lang. Mijn man en ik dachten dat we elke dag hand in hand zouden kijken of die de goede tijd aangeeft. We wilden de zonnetijd op de meter vergelijken met de tijd van de torenklok in het dorp, waarvan we het luiden kunnen horen hier aan de stille bosrand. Of met die van mijn mans horloge. Ik draag geen klokje. Mijn man heeft me mijn horloge afgenomen, omdat het strakke polsbandje de bloedsomloop in mijn arm stremt. Dan sterft mijn hand af. Dat zegt hij tegen me.

De bronzen wijzer is speervormig en staat schuin de hoogte in. Mijn man en ik wisten aanvankelijk niet naar welke windstreek in de wijde, hoge hemel de punt moest wijzen. Evenmin begrepen we wat in de handleiding staat: 'Tijdmeter die bestaat uit een vlak waarop de schaduw valt van een stift, loodrecht geplaatst op die oppervlakte of op het equatorvlak. De plaats van de schaduw geeft de tijd aan naarmate zij zich verplaatst langs de op dat vlak aangebrachte lijnen.'

Mijn man zei: 'De zonnewijzer moet je beschouwen als een sieraad voor de tuin. Als het bewolkt is, heb je er toch niets aan.'

Ik laat me er weinig aan gelegen liggen hoe laat het is. Er zijn dagen waarop het niets uitmaakt. Dan lijkt het half vier in de namiddag – het tijdstip waarop ik graag een glas witte wijn of vermout drink – en blijkt het pas tien over half twaalf. Dan moet ik de hele middag nog door, plus de laatste twintig minuten van zo'n verschrikkelijke ochtend die lang, steeds langer lijkt te duren.

In slechte tijden was de terrasdeur op slot en kon ik niet naar buiten. In slechte tijden komen de herinneringen aan de kinderen verpletterend terug: tot 's middags zaten ze op school, dan kon er niets gebeuren, maar na schooltijd klauterden ze over de tuinmuur, gooiden steentjes, klommen in bomen en zwaaiden naar me, uitgelaten gezichten tussen de takken.

Als het licht in mijn hoofd voor even maar uitgaat, heb ik het idee dat mijn handen wit wegtrekken en mijn lichaam gevoelloos wordt. Het is of ik ontvoerd ben uit mijn eigen leven. Mijn man vraagt dan 'waarom jij?' en 'hoe kan dat?' Het antwoord daarop weet ik niet.

Als ik ga wandelen, leg ik een briefje op de eettafel of op het aanrecht: 'Ik ben in het bos.' De sleutels neem ik mee in mijn jaszak. Ik hoor hoe ze rinkelend naar beneden glijden.

Ik scheur zo'n briefje uit de onbedrukte, witte hoek of de rand van een krantenpagina. Soms waait het strookje papier weg en dan raakt hij in paniek. Mijn man komt me achterna in het Sterrenbos en als hij me vindt, kijkt hij me met verwilderde ogen aan. Ik wuif zijn zorgen weg. Mij zal niets overkomen. Ik ben vertrouwd met de bomen, de paden, met bladeren die in een windvlaag plots bewegen. De wind is een zachte aanraking met een heilige kracht.

Soms laat ik iets uit mijn handen vallen. Een bord bijvoorbeeld, een schaal of bloemenvaas. Die zijn glad van het afwasmiddel. 'Scherven brengen geluk,' roep ik opgewekt. Ik heb altijd veel van zegswijzen gehouden, net als mijn moeder. 'Gedane zaken nemen geen keer.' Of: 'Het geluk is de wereld nog niet uit.' En: 'Al te wit is gauw vuil.' Die uitspraken bieden me houvast; ze zijn versleten en tegelijk vol betekenis, zoals ook: 'Een schaduw omhelzen.'

In haar eigen woorden heette het: 'Ongeluk dreigt altijd, achter de horizon.'

Van mijn vader herinner ik me niets meer. Hij is vroeg doodgegaan, net als mijn vier broers. Toen mijn moeder aan het graf afscheid nam van mijn jongste broer, zei ze op de begraafplaats: 'Nu is het mijn beurt.' Ik zag haar ooglid trillen, een zacht kloppen ook achter haar slapen. Ze beheerste zich, huilde niet.

Mijn moeder heeft zes van haar zeven kinderen

begraven. Mijn broers zijn rond hun veertigste overleden aan een hartaanval. De een na de ander. 's Morgens vroeg: dood gevonden in bed door hun echtgenote. Er was nooit een zichtbare aanleiding. Het waren vroeger zulke sterke jongens met gespierde armen en benen; ze renden om het hardst, schaatsten, zwommen tot diep in de winter, hadden het nooit koud, klommen in bomen.

Mijn twee zussen zijn weggesijpeld. Hersendood, gestorven aan iets dat knapte in hun hoofd. Een belangrijke ader die het begaf of een zenuw die sprong, net een te strak gespannen vioolsnaar. Soms flakkerden ze op in een moment van helderheid, maar meestal zonken ze weg in een stilte die alleen voor henzelf bestond. Door de vitragegordijnen waarachter zij zich verscholen, vielen bleke suggesties van licht binnen. Dagen doorgebracht in zwijgen. Starend naar buiten, net als ik nu.

Ik ben een overlevende. Niet mooi maar ijzersterk. Net als mijn stoere, onsterfelijke broers.

Ik heb me wel eens afgevraagd of mijn zusters, vlak voordat het zwart werd in hun hoofd, het gonzende en langzaam wegstervende geluid hoorden van een trillende snaar, die daarna breekt.

Messen glijden ook vaak weg tussen mijn vingers. Ik moet me niet snijden aan het scherp ervan. Als ze met veel gekletter op de tegelvloer van de keuken vallen, duw ik gauw mijn handen tegen mijn oren. Dat schelle geluid maakt me bang.

Mijn man denkt dat ik een geheim bewaar, zo praat hij tegen me. Maar het is anders.

Natuurlijk, elk leven kent zijn geheimen en die

moeten geheimgehouden worden. Maar nu ik ouder ben, heb ik niets te verliezen. Waarom zou ik mijn geheim voor me houden? Ik kan al mijn geheimen evengoed vertellen. Dat is de kunst: zich niet laten raden, eeuwig een geheim blijven. Mijn man schaamt zich voor mij, dat zie ik aan zijn houding als we op straat toevallig mensen tegenkomen. Zijn ogen kijken weg. Het voelt voor mij alsof ik overvallen word. *Why leave me standing here, let me know the way.*

Die mensen ken ik van vroeger. Maar het is te lang geleden dat ik ze ben tegengekomen. Ik moet zoeken naar hun namen. Dat lukt me niet altijd. Ik vraag of ik even mag nadenken. Het is of de Julia van gisteren niet dezelfde is als de Julia van vandaag. Toch probeer ik de Julia van nu door te geven aan die van morgen, zodat ik niet elke ochtend een vreemde vrouw in de spiegel vind die mij aankijkt met ogen die me schrik aanjagen.

Kom ik die mensen tegen is het net of er bronnen openspringen diep in mijn wezen. Maar het moeten verkeerde bronnen zijn. Ik vind wel namen, maar het zijn andere namen. Opeens flitsen er tientallen namen door mijn hoofd. Die van Schelberg, Kuitenbrouwer, Ruitenheer, Brenninkmeijer, de Hagemeijers, Kramers, Vreugdenhil, Jonker, Lia Houtslag die vorig jaar weduwe is geworden, Melchior, de Van Duijvenvoordes, Klein Essink, Snethlage, Westgaarde. Het is net of er een sluier valt tussen mij en de gezichten voor me.

Sommige vrouwen hebben last van mouches volantes. Vluchtende, vlietende zwarte stippen die voor je ogen dansen. Als je ernaar kijkt, schieten ze weg. Soms wil je ze met je handen wegwuiven, zonder dat het helpt. Ik heb dat met namen en gezichten, met herinneringen die door mijn hoofd zweven en het is net of die nergens bij horen, bij geen enkele gebeurtenis.

Ik denk nooit 'arme ik'. Mijn man vraagt zich wel af waarom ons dit moet overkomen. Hij zegt het nooit met zoveel woorden of met nadruk. Hij houdt er oude waarheden op na, denk ik vaak. Dat een vrouw alleen maar gelukkig kan zijn als ze opgaat in een ander. In haar man bijvoorbeeld, kinderen en het huishouden. Of als ze wordt meegesleept door levensromans met titels als *Sterren boven Bombay*, *Als het leven danst*, *Nooit meer slapen* en *Als de katoen rijpt*. Boeken met veel dialoog, daar houd ik van. Het liefst las ik *Gejaagd door de wind*.

Al mijn drie kinderen zijn het huis uit. Zonen zijn het. Ze wonen ver weg. Geen dochters, die heb ik niet... De eerste twee getrouwd. De jongste op kamers, alleen, in Amsterdam. Ik zie hen te weinig. Zonen die een vrouw hebben of vriendin, kinderen. Mijn kleinkinderen. Ik weet niet hoeveel het er zijn. Vier, vijf? Jongens, meisjes. De moeders in de bloei van hun leven. Zes misschien?

Na de tweede, Johan was dat, raakte ik weer in verwachting. Dat duurde te kort, kwestie van geen vier maanden. Het kindje stierf in mijn buik. Een meisje; als het had geleefd, zou het mijn enige dochter zijn. 'Het heeft geen hartje,' zei de dokter. Ik verloor het op een avond in de badkamer, waarvan de witte tegels het licht hard weerkaatsten.

De wieg stond al klaar met de zijdewitte hemel en

een rood geruit dekentje van zuiver scheerwol. Dat was zo in die tijd. Het kleine laken met kant afgeboord.

Daarna kwam mijn jongste zoon. Het meisje zou, als alles goed was gegaan, dus twee oudere broers en een jonger broertje gekend hebben.

Korte tijd daarop werd ik nog eens zwanger. Ik was bijna veertig, dacht dat het niet meer kon. Ik ontdekte het na een reis in het buitenland met enkele bevriende echtparen. We ontmoetten leerlingen uit mijn schooltijd. Ook Elron, mijn eerste verkering, de liefde uit mijn jeugd, Elron Verster. Het was of iemand het zo had geregeld, toeval kon het niet zijn. Een hand – de hand van een engel – die mij met zachte kracht naar hem stuurde, zoveel jaren nadat ik hem voor het laatst had gezien. *You angel you, you got me under your wing.*

Elron en ik deden alsof we elkaar niet kenden. Waren immers allebei getrouwd. Argwaan maakte de ogen van zijn vrouw messcherp. Ze wendde zich van me af, hield me tegelijk in de gaten. Ze sloeg afwerend haar ene knie over de andere. Mijn man trok mij weg aan mijn schouder. Toch wisselden Elron en ik onophoudelijk blikken met elkaar. Ik vond het opwindend, als de eerste keer.

We waren op een warm, zuidelijk eiland, niet ver van Griekenland, ergens in de Middellandse Zee. Grote, ruwe keien en stenen lagen verspreid over de dorre grond, net of een reus het eiland als een kussen had opgeschud. Raapte je zo'n kei op, dan brandde die in je handpalm en was het of je een verborgen schat vasthield. Pijnbomen stonden scheef van de altijd waaiende wind. 's Nachts gloeiden de sterren aan de zwarte hemel. Een uil riep.

Op het eind van de middag, als de hitte loom en lauw was en iedereen zich verveelde, gooiden de mannen de vrouwen in het zwembad. Het was een spel van verleiding. Wij slaakten hoge kreten, lachten, spetterden rond. Lieten gewillig de mannenhanden ons lichaam aanraken. Ik voel nog de natte jurk waarvan het bovenlijf strak om mijn lichaam sloot. We dreven als gekleurde lelies met onze wijd uitstaande rokken op het water.

Ik vertel er maar niet verder over. Dit is mijn geheim. Nu niet, misschien later.

Bloemen waren we.

Er was aldoor volop wijn, die de kleur had van honing en naar hars smaakte.

's Nachts lig ik aldoor aan van alles te denken. Mijn hoofd is net een theater waar de acteurs door elkaar praten. Net een orkest zonder orkestmeester. Ik zou de orkestmeester willen vragen een lied voor mij te spelen, muziek, een nachtlied. *Zoals: Wolfgang Amadeus Mozart: Klaviersonate A-moll, KV 310, Allegro maestoso.*

Als het derde kind, dit meisje, nu nog geleefd had, hoe zou haar leven er dan uitzien? Zou ons bestaan stralender zijn? Ik moet een rekensom maken hoe oud ze nu geweest zou zijn. Ik denk ergens in de dertig. Haar nooit bestaande leven is voor mij voltooid verleden toekomende tijd.

Zou ze moeder geworden zijn?

Vijf zwangerschappen heb ik gedragen. Was de laatste van Elron? Ik durf geen antwoord te geven.

Het werd een engeltje. Ik ben ermee naar een engeltjesmaker gegaan, ik zag het kindje voor me met vleugels; weggevlogen met die vleugels... naar engelen heb ik altijd gekeken, in de kerk van vroeger zweefden engelen met gouden vleugels en bazuinen in de hoogte, en we zijn niet samen teruggekeerd naar huis. Ik heb me er altijd tegen verzet dat een man mag vechten voor de liefde, hij mag jagen en veroveren, de vrouw is alleen prooi. Na die laatste keer heb ik Elron nooit meer gezien. Is hij het werkelijk geweest, die ene nacht nadat ik met druipnatte kleren uit het zwembad kwam en me ging omkleden op de hotelkamer, een nieuwe jurk uit de kast pakte en hij de deur achter me opende? Het matras golfde als de zee.

Aan dezelfde gracht in Amsterdam waar mijn jongste zoon woont, een paar huizen verderop, staat bovenop de gevel het beeld van een engel. Vanaf de rug spreiden twee vleugels zich als waaiers uit. De engel draagt een gouden staf, de mantel is wit met een blauwe banier erover.

Ik kijk altijd op naar die engel op de verheven daklijst.

Het is net of er troost van uitgaat. In mijn vroegste jeugd leerde ik van mijn moeder bidden, knielend in de harde kerkbank, je ogen naar de grond gericht en toch was het of je werd opgenomen door het hogere, iets dat groter was dan jij, alsof een beschermende arm om je schouder werd geslagen en optilde. In de duistere kerk brandden kaarsen. Beelden van engelen stonden in nissen, op het orgel, vingen licht van kroonluchters.

De gezichten van de mannen die ik gekend heb lopen door elkaar, zoals seizoenen en de maanden door elkaar lopen. Een herfstdag die op hoogzomer lijkt. Een januaridag in augustus. Een winters voorjaar.

Ik ben altijd goed voor mijn drie kinderen geweest. Als het begon te regenen, gebood ik ze naar binnen te gaan. De regen heeft iets onmetelijks. Mensen zeggen vaak dat de regen in sluiers valt en de wereld kleiner maakt. Zo is het niet. Ik haal vrijer adem bij regenval. Alles is dan schoon en zuiver. Mijn kinderen schuilden onder het overhangende dak van het huis.

Drie zonen en geen dochter. Schoondochters, dat wel. Ik heb schoondochters altijd gewantrouwd.

De namen van de Snethlages, de Schelbergs en Westgaardes vullen mijn gedachten, zonder dat ik kan kiezen. Ik zou ongedwongen in de omgang willen zijn. Ik zeg te snel 'ja' en 'hoe gaat het met jullie?' Dan knijp ik mijn ogen samen om de mensen scherper te zien.

Opeens heeft Ria Snethlage een ander kapsel. In mijn herinnering draagt ze het haar los en bijna tot op de schouders. Was het gisteren dat ik haar niet herkende? Ze droeg krullende lokken, het was nieuw voor me.

Mijn man probeert de situatie te redden, ook al gedraag ik me stil en terughoudend. In werkelijkheid ben ik dat niet, evenmin verlegen.

Als het donker en stil in mijn hoofd wordt, dan raak ik in verwarring. Zo anders dan vroeger. Toen stond alles me altijd overweldigend scherp voor de geest.

'Een mens leert zolang hij leeft.' Dat zei mijn moeder vaak. De laatste tien jaar of meer van haar leven sleet ze in een tehuis in haar geboorteplaats Sassenheim onder Haarlem. Dat is hetzelfde dorp waar ik geboren ben. Op het laatst van haar leven zei ze: 'Wolken vliegen als zwermen kieviten langs de hemel.'

Het kleine, bakstenen woonhuis met een ouderwets pannendak ligt aan de Zandslootkade in Sassenheim. De sloot ervoor is met kroos overdekt. De ramen bieden uitzicht op bollenvelden onder een wijde, lege hemel.

Haar hoofd was van de ene dag op de andere in de war geraakt. Net of er draadjes waren doorgeknipt. Ze herkende mij niet meer. Een van onze zonen, Maarten, de oudste, noemde ze Johan.

En de zoon, de tweede, die Johan heet, noemde ze Cornelis. Ik heb geen kind dat zo heet. Onze derde is Kasper, die heeft mijn moeder nooit bewust gekend.

Ook vroeg ze op een dag aan me: 'Jullie dochter, Maria, hoe gaat het met haar? Jullie kleine dochter is echt zo'n zoet meisje. Haar huid is zo blank. Net suiker, vind je ook niet, net van suikergoed.'

Dat meisje heeft nooit bestaan. Het was een verzinsel van mijn moeder, ze kon van niets weten.

Cornelis is de naam van mijn vader.

Mijn moeder wilde het leven of God vergeven dat haar jongens zo jong dood zijn gegaan. Alleen zo kon ze troost vinden. Door vergeven. Ze stond alleen. Vreemd dat zoveel in je leven verdwijnt, gewoon is uitgewist, ook al wil je er elke dag aan denken. Tienduizend verloren ogenblikken, vergeten momenten: dat is het leven. Hoe was het ook weer om aardappels te schillen, spinazie te koken, wortels te schrappen, de smaak van een sinaasappel of tuinbonen, de geur van vers gebrande koffie te ruiken, ochtendlicht op mijn gezicht te voelen, de gebreide wanten van mijn kinderen waaraan ik een koordje had gemaakt, zodat ze die niet verloren? Ze zeggen dat het gezicht van je kind je aankijkt als een spiegel.

Uiteindelijk ontbrak het mijn moeder aan moed en kracht het leven te leiden, zoals ze zich ooit had voorgesteld. Ongewild verslagen was ze, het was ongewild ongeluk dat haar trof, en ze vluchtte weg in de diepste uithoeken van haar hoofd, daar, waar nooit iemand haar kon vinden. Zelfs wij, haar kinderen, bestonden niet langer in het lege hoofd. Zelfvervreemding stuurde haar de andere kant uit, weg van ons. Ziekte had verwoestingen aangericht in haar hersenen. Haar hoofd een verlaten theater, de regisseur liet het afweten, de acteurs allang hun tekst kwijt. *Now, I am alone.*

Soms als ik moeder opzocht op haar kamer en ze zag iets bekends, straalde ze. De vitrage was dichtgeschoven en toch wees ze naar buiten, naar de bloeiende kastanjebomen en de kaarsen die daarin brandden. Dat moet in het voorjaar zijn geweest. De herfst komt met bladeren die roodkoper kleuren.

'Straks vat de hele boom vlam. Dan kijk ik uit op een vuurzee.'

De gordijnen hielden haar ogen niet tegen. Ik schoof ze opzij om te zien wat zij zag.

Het tehuis waarin ze verbleef was hoog als een burcht, opgetrokken uit donker steen met smalle ramen en kleine torens op de hoeken. Rozenhof, heette het. Aan de zijkant lag een tuin met een hellend gazon, afgeboord met bloemperken en lage, dichte struiken. Grindpaden liepen in wijde lussen langs de bomen. Onder parasols, in de schaduw, stonden banken en stoelen. Verpleegsters in witte jasschorten liepen heen en weer. Het waren vooral vrouwen die verzorging nodig hadden. Ze moesten geholpen worden met drinken, eten, naar de wc gaan; sommigen zaten in een klemstoel, hun handen trilden of hun hoofd stond scheef, zodat ze alleen maar voedsel konden nemen dat vloeibaar was. Ik werd daar droef van en wilde het liefst over het grindpad naar buiten rennen, het dorp in, langs de kerk met de gouden engelen naar het huis aan de Zandslootkade en daar op de houten deur bonzen – de deur van andere mensen die er nu wonen – en roepen: 'Waarom is mijn moeder zo toegetakeld in haar hoofd?'

Mijn stem zou weerkaatsten over de straat, zodat iedereen het zou horen. Maar mijn moeder in de Rozenhof zou het nooit horen, ik was te ver weggerend.

Ik heb altijd graag zonen willen hebben. Mijn man niet, die wilde dochters. Jongens hebben een vanzelfsprekende kracht, misschien dat het daardoor komt dat ik ze wenste. In de jaren dat mijn kinderen op de lagere school zaten, had je een spel dat 'jongensgenade of meisjesgenade' heette. Johan heeft het me eens uitgelegd. In een vechtpartij tussen jongens gooi je de tegenstander op de grond, je gaat bovenop hem zitten, plant je knieën stevig in de flank van het slachtoffer. Dan duw je met je dichtgeschroefde hand zijn polsen op de stoeptegels en vraag je: 'Jongensgenade of meisjesgenade?'

Als je tegenstander 'jongensgenade' antwoordt, dan geeft hij blijk van kracht en mag je hem nog meer pijn doen. Bij 'meisjesgenade' moet je loslaten. De pijn is te groot.

In het begin kon mijn moeder nog lopen. Later niet meer. Nooit zouden we meer gearmd over het grindpad gaan en naar de rozen, de seringen, dahlia's en gladiolen kijken. Het was of ze in een onpeilbare leegte was gezonken.

In die jaren van mijn moeder in dat gesloten kasteel kon het nog echt winter zijn, waarin alles bevroor. Er lag sneeuw in de straten en sneeuw op de velden en wanneer de stuivende wind laag vanuit het noorden kwam, lag het ijs tot aan de horizon te glanzen. Een ijswind die alles schoonveegt. Mijn vader zei dat je over de Zuiderzee naar de overkant kon lopen. Zelfs in de stromende rivieren dreven ijsschotsen die de aangemeerde boten dreigden open te snijden, zo scherp kan ijs zijn. IJsmessen.

Nauwelijks kon ik me voorstellen dat er onder die sneeuwlaag grond ligt, vruchtbare grond, waarop mijn vader met zorgzame hand bloemen kweekte: tulpen, gladiolen, dahlia's, narcissen. Altijd lag hij gebogen over de grond. Zijn rug was 's avonds stram. Hij droeg een blauwe overall met op zijn knieën beschermers van rubber.

Mij zou niet hetzelfde overkomen als mijn moeder. Dat de dood zich in haar hoofd had genesteld, betekende voor mij een waarschuwing. Niemand houdt mij voor de gek. Ik heb toch man en kinderen, er ligt voor mij nog oneindig veel geluk in het verschiet.

Wanneer heb ik voor het laatst mijn jongens gezien?

Mijn moeder wilde alles begrijpen; pas dan kon ze vergeven. Ze huilde nooit bij de begrafenis van een van haar zonen. Mannen van in de veertig. Strak en onbewogen stond ze op het kerkhof. Haar schouders naar voren gebogen. De handen gewrongen om de hengsels van haar zwarte tas. Mijn vader is ook rond zijn veertigste overleden.

Er heerst een even wonderlijke als angstwekkende symmetrie in onze familie. Vader en de vier zonen: dood aan hartstilstand, op slag, laat in de nacht of tegen het ochtendgloren. De dood komt als een vliegensvlugge sluipmoordenaar en maakt korte metten. En dan mijn zussen, alle twee jonger dan ik. Zij leven nog. Of eigenlijk: ze leven niet, schimmen zijn het. Er bestond toen geen geleerd woord voor, zoals nu vast wel. Aderverkalking. Dat heeft eerst mijn moeder en kort daarna twee van haar dochters aangetast. Hun teloorgang begon onmerkbaar. Het was of de grond onder hun voeten begon te kantelen, ze liepen met wankele pas alsof ze elk ogenblik konden vallen. Hun handen hielden ze gestrekt voor zich, met gespreide vingers, alsof ze tastend en de lucht aanrakend door de kamer gingen.

Zij hebben zelf nooit geweten hoe ver zij van het leven zijn afgedwaald.

Ik geloof dat mijn zussen geen enkele herinnering

meer aan hun leven hebben. Ze heten Vera en Lena. Ik ben Julia Lankhorst. Als ik aan hen denk, zie ik hen op dooltocht door een dor, wanhopig droef en hopeloos land.

Zij raken verder en verder weg van alles. Als hun man of kinderen de kamer binnenkomen, dan wenden zij hun hoofd af of kijken over hun schouder weg.

Herinneringen maken het leven de moeite waard. Ik heb vriendinnen die wel en die geen kinderen hebben. Of dat laatste welbewust is, weet ik niet. In elk geval leven vrouwen met kinderen meer in het verleden dan vrouwen zonder. Kinderen zijn bronnen van herinnering en van pijn om de voortjagende tijd.

Zo gaat het: een moeder blijft alleen achter in haar huis met foto's van haar kinderen.

Voor mij is elke herinnering helder als de dag van gisteren. Maarten werd dertien en ik kon wel huilen om de jaren die verstreken waren. Zijn derde verjaardag, gevierd met kaarsjes die hij uit moest blazen, staat in mijn geheugen gegrift. Zijn eerste woorden, eerste ferme stappen de wereld in. Voor zijn zevende kreeg hij een versierde fiets. De eerste keer dat hij met blozende wangen en haperende stem over een meisje sprak bij hem in de klas. De wiskundelessen die hij zo moeilijk vond. Hij hield van taal. Dat meisje had diepzwart haar en blauwe ogen, een hartvormige mond: mijn kleine Maarten was ondersteboven van Lisette. De jongen zo verliefd te zien betekende een voorrecht. Ook besefte ik dat hij al begonnen was uit mijn leven weg te vlieden. Met Lisette is het verder nooit iets geworden.

Met de komst van Johan, de tweede, wilde ik alles wat ik alweer vergeten was van Maarten opnieuw en intenser beleven. Dat lukte niet. Het is met de opvoeding en groei van kinderen alsof elke nieuwe dag en iedere nieuwe gebeurtenis de voorgaande wegdrukt. De aandacht die een kind opeist, laat nauwelijks ruimte om herinneringen te laten bezinken. Eigenlijk zou je elk moment twee keer moeten meemaken: een keer van de werkelijke beleving en een keer om de herinnering eraan te koesteren.

Dan zou je twee keer moeten leven.

Toen ik een klein meisje was, dacht ik altijd dat moeder worden van alles in de wereld het hoogste goed was. Zo wonderlijk leek me dat, dat ik het bijna niet kon geloven op het moment dat het mij overkwam. Toen ik Maarten verwachtte, was ik zo overweldigd dat ik me er haast voor schaamde. Met elke vezel van mijn lichaam wilde ik een kind. Het leek wel alsof er in de wereld helemaal niets anders meer was. Het kind dat ik droeg vulde dag en nacht mijn gedachten.

Ik was ook bang. Achteraf was er geen enkele reden om dat te zijn. Maarten en Johan, Kasper ook, zijn gezond ter wereld gekomen. Het was of ik de sterkste moeder ter wereld was. Niets kon me overkomen.

Met het meisje ging het mis. *Voor de orkestmeester, zoals: 'All the things you are' van Johnny Griffin, tenorsaxofoon. 'You are the angel glow that lights a star'.*

Ik geloof dat ik de wereld nooit mooier heb gezien dan toen de kinderen op komst waren. Als het had geregend was de lucht warm en vochtig, verzadigd van bloemengeuren uit de tuin. Over het verzonken grasveld met de zonnewijzer in het midden, de bakstenen, lage muurtjes eromheen waarin varens groeien en over de rozen- en dahliaperken lag een gouden gloed. Wolkenflarden stonden aan de blauwe hemel. Het was of ik alles voor het eerst zag. Over het tuinhek hingen witte seringen. Dansende zonnestralen drongen door in de beschaduwde struiken. Zoiets had ik nooit eerder gezien, hoewel mijn man en ik vele uren doorbrachten op de veranda met de rode, gladde tegels die uitkijkt op de achtertuin.

Drie maanden voordat Maarten werd geboren, zijn we verhuisd. Het kleine huis dat ons eerste thuis was, staat er niet meer. Ik was daar haast blij om. Het zou vreemd zijn geweest om er langs te lopen en het door anderen bewoond te zien. Toch drongen tranen in mijn ogen toen we er een paar jaar geleden op een avond langskwamen en zagen dat mannen in blauwe werkkleding en met gele helmen op het huis aan het afbreken waren. Het stond leeg, het tuinhek omvergetrokken, bomen waren gekapt. De kleur van de wild opengezaagde stammen was van een teder zachtgeel. Het was of de bomen gewond waren, kapotgemaakt. Struiken, die wij zo zorgvuldig hadden geplant en in het najaar gesnoeid, waren uit de grond getrokken. Donkere aardkluiten zaten aan de wortels.

We liepen de tuin in; de tuindeuren met de kleine ramen, gevat in witte sponningen, stonden open en we gingen naar binnen en dwaalden door de kamers. Uit het plafond staken rafels stro. De vloerbedekking was losgetrokken en in lange repen naar de hoek gesleept. De houten vloer was gebarsten. Ik durfde de keuken niet binnen te gaan, ervan overtuigd dat het granieten aanrecht was gebroken. Door een openstaande deur zag ik de treden van de trap naar de eerste verdieping, waar de slaapkamer lag. Ons bed moesten we achterlaten. We konden het niet vervoeren, wel de matrassen, de dekens en lakens natuurlijk. Ons eigen beddengoed. Wij hadden de ombouw en ijzeren spiralen overgenomen van de voorgaande bewoners, die het bed hadden verankerd aan de vloer. Die mensen dachten dat ze voor altijd in dat huis zouden wonen, maar er is iets gebeurd in hun leven waardoor ze het moesten verlaten. Ik geloof dat ze een ziek kind hadden, een meisje van vier. Het begon onophoudelijk te huilen, dagen en nachten achter elkaar. Het leed aan benauwdheid en kon niet tegen vocht. Dat is waar: het was een kille en vochtige woning met alle bomen eromheen en een dichte haag van klimop tegen de buitenmuren. Om het huis stonden esdoorns, waarvan de takken zich ineenvlochten. Het was er donker als in een kelder, zelfs hoogzomer. Ik houd van zon. Ik schoof de tuinstoel altijd heen en weer over het terras naar de plekken, waar de zon tussen de boomtakken doordrong.

Een van mijn vriendinnen, ze woonde om de hoek van het oude huis, verzuchtte elk voorjaar: 'Ik zie met schrik de bladeren aan de bomen komen.'

Mijn man en ik zeiden niet veel tegen elkaar, ook niet toen we naar ons nieuwe huis liepen. Het was alsof we beiden hetzelfde dachten, dat we een dierbare plaats uit ons leven waren kwijtgeraakt. Het was bijna symbolisch dat ze een huis waar we gelukkig waren geweest afbraken en vernielden.

Aldoor hoorde ik hetzelfde verwijt rondzingen: 'We hadden onze dahliastruiken mee moeten nemen.'

Omdat er een kind op komst was, moesten we omzien naar een groter huis.

Die verhuizing was een desperate dag. Ik herinner het me als de dag van gisteren. Mijn leven is een optelsom van verhuizingen. Dat zijn niet mijn woorden, mijn man zegt het zo vaak. 'Ons leven is een som van telkens andere huizen.'

Wij zijn dit gezamenlijke leven begonnen in het westen, te midden van de bollenvelden van Lisse en Sassenheim. Aan de rand van het gehucht De Engel lag een uitspanning, de Nachtegaal. Daar zijn we elkaar tegengekomen op de jaarlijkse dansavond in de vroege lente. Was het niet iets met de eerste tulpen of het moment dat de sneeuwklokjes uitgebloeid zijn?

Hij heette Alfred, en hij zei dat hij piloot was. Alfred Wensiez. Zijn ogen fonkelden. Of hij ver over de horizon blikte in de oneindige hemel. Ik probeerde hem aan te kijken met zachte meisjesogen, ontvangende ogen zijn dat. Ik had het wel eens in een geïllustreerd tijdschrift gezien hoe je als jonge vrouw naar een man moet kijken. Opwaarts en het hoofd iets scheef houden, zodat je uit je ooghoeken blikt. Vragende ogen.

Ik herinner me dat vader zei dat er na de oorlog een meisjesoverschot was. Je moest snel aan een man zien te komen, anders schoot je over. Ik was nog te jong om te beseffen wat dat betekent, in elk geval klonk het angstwekkend. Overschieten. Alsof je in de lege hemel werd gejaagd.

Ik stelde mijn ogen in op ontvangen. Tussen de knappe, slanke jongeman en mij was er geen onwennigheid of verlegen gedrag. Ik leunde vol verwachting naar voren, waarbij ik met mijn bovenbeen zijn knieën aanraakte.

Het leek een wonder dat deze man uit de hemel op aarde was neergedaald en hier, in die roezige dansgelegenheid, een gesprek met mij aanbond en mij boeiend genoeg achtte tijd en aandacht te schenken. Dat was mij vreemd. Thuis was er nooit kans langer dan een paar tellen met vader of moeder alleen te zijn. Het was of moeder oploste in de geuren en het gekletter van pannen, deksels en eetgerei in de keuken en dat vader woonde op het land, wegvloeide tussen de bloembollen, bloembedden als slaapplaats gebruikte.

Ik hun dochter? Mijn zussen hun dochters en de broers hun zonen? Zoiets telde in die tijd niet.

Ik betrapte me erop dat ik Wensiez chic vond klinken. Een bekende achternaam uit onze streek van herkomst, net zoals Van Prooijen, Freriks, Van Duijvenvoorde, Van der Voort, Zielhorst, Westenberg of Langeveld. Het was een naam die mij goed zou staan, Julia Maria Wensiez-Lankhorst.

Hij droeg een donkerblauw uniform met gouden strepen over de manchetten, ik geloof dat het drie strepen waren. Een kenteken dat zijn rang aangeeft. De knopen blonken in het schemerduister van de danszaal. Zijn haar was strak achterovergekamd en zijn ogen keken me onderzoekend aan. Hij was de enige jongeman in uniform. Meisjes met petticoats, glanzende lippen en stralende, witte oorbellen verdrongen zich om hem. Het was kort na de oorlog die we hadden overleefd dankzij de velden: we leefden de laatste winter van soep van bloembollen met brood dat we van de winkeliers van Sassenheim kregen in ruil voor melk en boter.

Ik was verbaasd over de sieraden van de meisjes, zo kort na de oorlog. Waar kwamen die vandaan? Op zolder bewaard? Het waren rijke meisjes, prinsessen; wij moesten onze sieraden van de hand doen voor eten.

Mijn zussen en ik struinden het boerenland af op fietsen met houten banden. Vooral 's nachts waren we bang. Zoeklichten priemden door het donker. Als die ons zouden vangen, kwamen we misschien nooit meer thuis.

Ook 's nachts, als ik wakker schrok: doodsangst als beneden in huis het licht brandde.

Onze moeder bad het Weesgegroet en de rozenkrans als we weg waren. Alfreds vader had een bakkerij. Hij vertelde dat hij de oorlog was doorgekomen door zich te verbergen boven op de ovens. Keken ze over de rand, zagen ze de soldaten in groengrauwe uniforms en hun stalen helmen. Geweer in de aanslag. 'Je kon het geen onderduiken noemen,' zei hij. 'Het was eerder het omgekeerde: aan de zoldering geklampt zijn. Hoogduiken. Daar zocht niemand ons.'

Wat ik me herinner, is dat de jongeman in uniform die mijn prille echtgenoot zou worden vaak zei: 'Over en sluiten.' Midden in een zin. 'We vlogen van Amsterdam via Frankfurt naar Rome, daar namen we een lichte maaltijd... over en sluiten. Een dag later brachten we de kist naar Bombay... sluiten. De vlucht naar Djakarta duurde toen vier dagen... over. Djakarta, ver overzee is dat. De landingsbanen waren een ramp. Kuilen, geen verlichting, afgewaaide palmtakken, spiegelglad van de regen.'

Zijn ogen gleden over mijn gezicht, mijn hals, schouders. Het waren lichtgrijze ogen met iets van blauw erin. Ze keken recht in die van mij.

Eerst begreep ik dat 'over en sluiten' niet en ik dacht dat hij me voor de gek hield. Het klonk alsof hij me telkens van zich afduwde om met een ander meisje een gesprek beginnen, en mij aan de kant te laten staan. Ik voelde me op dat ogenblik wanhopig en alleen, al klonk in de verte de feestmuziek en keken alle meisjes gelukkig. 'Over en sluiten.'

Ik had nog nooit zoveel van een man gehouden als toen. Het voelde als nieuw. Net of er een onbekende kracht in mij losbarstte en door me heen golfde. Een mengeling van bewondering, energie, verlangen. Eerste, echte liefde. Die drie woorden schoten door me heen. *Voor de orkestmeester, zoals: 'I'm gonna love you night and day. Love is love and not fade away'.*

Het vinden van woorden valt me steeds moeilijker; ze zeggen dat het door de ouderdom komt. Dat geloof ik niet. Ik ben eerder sneller vermoeid en slaap slechter; word 's ochtends vroeg wakker als de hele wereld nog stil is.

Het was ook een gevaarlijke gewaarwording, alsof ik mezelf niet meer in de hand zou kunnen houden. Hoe graag ik het ook wilde, me laten gaan, ik behield mijn beheersing. Jaren lang had mijn leven zich in het halfdonker van geblindeerde vensters, dichtgeplakte ramen, gordijnen, verduisterde kamers en gesloten deuren afgespeeld. Ik weigerde me te laten meeslepen door deze onbekende vliegenier in onberispelijk uniform die over Bombay, Sydney en New York sprak alsof het dorpen uit de omliggende omgeving zijn. Weigeren is verleidingskunst. In de woorden van mijn moeder: 'De eerste taak van een meisje is nee zeggen. Daarmee begint alles.'

Later heb ik hem een paar keer uitgewuifd op Schiphol. Het was vroeg in de ochtend, schemering nog. Ik sta op het platform en zie mijn nieuwe man de trap beklimmen. Bovenaan blijft hij staan. Een laatste zwaai. Het vliegtuig is een lange, gepolijste vorm. Ik was een ogenblik intens eenzaam. Ik zou aan boord willen gaan, naast hem in de cockpit zitten. Het was alsof het leven uit me wegvluchtte.

Mijn vader was slechts landarbeider, de knecht van een bollenboer die zich gedroeg als een landheer. Zijn gezin woonde in een groot wit huis met zijgebouwen en twee verdiepingen. Een gevleugeld landgoed in Sassenheim, gebouwd tegen de duinenrij, met uitzicht op de horizon. Wij waren van lage klasse. Armoede woonde in ons huis als stil verdriet. Mijn moeder moest elke stuiver omdraaien. We hadden geen wasmachine. Moeder deed de was met de hand in een teil met een geribbeld wasbord. Een kleine moestuin achter, grenzend aan het plaatsje met stoeptegels. Hier kweekte mijn vader sla, prei, rode bieten.

De bloei van de tulpen, narcissen, dahlia's, hyacinten en gladiolen bepaalde het leefritme van de mensen. Het bloemencorso in mei. Meisjes die bloemenslingers langs de weg verkopen. Bossen rauwe, vers gesneden tulpen, met het zand nog aan de stelen, die wij bij de voordeur van het huis aan de kade verkochten voor wat stuivers en dubbeltjes. De vruchtbare geestgronden zorgden voor geld.

De vliegtuigdeur ging dicht, werd vergrendeld. Daar stond ik nog steeds, met een witte zakdoek in de hand. Een tijd lang heerste er een doodse stilte en dan werden de motoren gestart. De propellers slaan aan.

Het is of het toestel van de KLM een lange, rituele weg volgt naar de startbaan. Het draait, begint aan een lange, snelle rit. De vleugels trillen. Eenmaal in de lucht beweegt het zich sereen, bijna onheilspellend, overhellend, zwenkend, onzichtbare wegen volgend in de lucht. Diezelfde hemel waar in het blauw tussen de wolken de trekvogels hun tekens kalligraferen. Opeens is het allemaal te ver weg voor mijn ogen.

Ik ben alleen. Ik ben alleen en ga naar huis. Aan de Zandslootkade is het doodstil. Aan de lichte hemel zijn geen vogels te bekennen. Het is alsof ik uit de nieuwe, glanzende wereld van het vliegveld het verleden betreed. Oud, star. Ik zou willen vluchten. Het is of niets geluid maakt. Mijn lichaam voelt aan als droog hout. Het water langs de kade is grauw. Een lege weg erlangs, zo ver ik kan kijken.

Mijn moeder, lang geleden en bezorgd voor de toekomst van haar kinderen, zei dat ik een 'goede partij zou zijn voor een jongen van een van de rijke families'.

Mijn broers zeiden dat ik 'het mooiste meisje van het dorp was'.

'Met weigeren begint alles.' Mijn moeders stem klonk bijna verwijtend, jaloers misschien. Ik was jong. Ik zou voor altijd jong zijn.

We sliepen in het huis aan de Zandslootkade op harde matrassen, gevuld met zeegras. Er was geen badkamer, evenmin stromend warm water. De kolenkachels, waarvan de micaruitjes waren gebroken, konden 's winters de kamers nauwelijks verwarmen. Als ik me moest baden, zette moeder de zinken teil in het midden van de keukenvloer. Ze vulde die met grote ketels heet water. Met beide handen moest ze die van het fornuis tillen. Het hengsel was omwikkeld met theedoeken. De keukendeur ging dicht. Wasem dreef in dichte wolken om mij heen.

Ik kleedde me uit en stapte in het hete water. Hoe oud was ik toen, vijftien, zestien? Mijn moeder hield een droge handdoek klaar. Er was weinig tijd om te baden; na mij moesten mijn zussen.

Ik waste me met groene Sunlight-zeep die hard en schurend over mijn huid gleed. Het was een groot stuk dat naar sering geurde en telkens wegschoot. Niet de geur zoals ik die kende van de bloeiende struiken bij ons uit de buurt. Scherper. Ik had gehoord dat Sunlight uit Amerika kwam, een land dat ons had gered van de oorlog. We zouden nooit meer bloembollen eten.

Achter de dichte keukendeur hoorde ik stemmen klinken, gedempt en hees fluisterend, bijna opgewonden als ik dat woord toen zou kennen. Over mijn lichaam lag een laagje schuim, een paar vlokken, meer niet. Ik was naakt. Ik keek op. Moeder stond onbewogen tegen het aanrecht geleund, wachtend tot ik klaar zou zijn. Uit haar ooghoeken keek ze naar de deur, alsof ze verwachtte dat die elk moment open zou gaan. Ik hoorde de snelle ademhaling van de jongens. Ging de deurklink al een paar centimeter omlaag?

Op dat ogenblik schoot het gladde stuk zeep uit mijn handen. Ik bukte me om het te zoeken. Moeder was altijd boos als zoiets gebeurde. Zeep was duur en als het lang in het water zou liggen, smolt het weg en werd het zo zacht dat je het niet meer kon gebruiken.

De deur vloog open. Ik schrok. In de oorlog, als er vanaf de duinen op schepen in zee werd geschoten, schrok ik niet zo als nu. Of als een brandbom die naar Engeland werd gevuurd afdwaalde en vlak bij het dorp insloeg. Een gevaarlijke blindganger.

Ik viel bijna met mijn gezicht op de harde rand van de teil. Het was of alle wasem ineens oploste. Mijn broers stonden in een halve kring om mij heen en ze keken naar me, zeiden niets. Ik wist niet waar ik mijn handen moest leggen om iets van mijn lichaam te bedekken. Hun gloeiende ogen hadden iets heimelijks en spiedends. Alsof ze wisten dat ze niet naar me mochten kijken, en het toch deden. En vooral wilden. Ik had me juist helemaal schoon gewassen en voelde me nog bloter.

'Het zijn je broers maar,' hoorde ik de stem van mijn moeder. Het was ontoelaatbaar wat ze zei. Die grote, gretige jongens om mij heen mochten daar niet zijn. Zij koos de kant van haar zonen.

Waar was vader? Die had me kunnen helpen.

Moeder bejegende hem vaak hard en afwijzend als hij weer in zijn oude, versleten kleren naar de velden ging. Het was of hij niet meer voor haar betekende dan de vlekkerige spiegel op haar kaptafel, die ze had geërfd van haar moeder. Ons gezin had voor zulke frivoliteiten geen geld.

Het was of er plots uit elke hoek van de keuken duisternis kwam. Er zweefde een waas voor mijn ogen. Ik voelde dat de blikken niet naar mijn gezicht waren gericht, zoals wanneer we onder elkaar in de woonkamer zaten, maar lager gleden. Mijn hart stokte. Moeder moest gauw een einde maken aan het tafereel. Ik staarde mijn broers aan, die zich gedroegen als vreemde, opgeschoten jongens. Ongedurig tuurden ze naar mijn buik, benen, prille borsten. Mijn knieën trilden.

Ik griste de handdoek uit moeders handen en sloeg die om me heen. Daarop renden ze joelend de keuken uit de tuin in. Het was of ze iets van me meenamen, me iets hadden ontfutseld, net als de dieven die 's nachts zijden onderjurken en ondergoed van de waslijnen halen.

Toch kon ik niet zeggen wat ze van me hadden gestolen. Het was een vreemde gewaarwording, die tastende ogen over mijn lichaam. Een paar dagen later, op het schoolplein, keek een jongen mij met dezelfde ogen aan. Ik kende hem, hij woonde om de hoek. Het was er een van Van Duijvenvoordes. Zijn vader werkte ook in de bollen, niet als knecht zoals mijn vader. Maar als vertegenwoordiger. Elron, zo heette hij, zat twee klassen hoger dan ik. Het moet begeerte zijn die in zijn blik school. Onder mijn zomerjurk werd mijn lichaam vloeibaar, warm, ademend. Het voelde vertrouwd, zoals koud water in een zwembad of een ijzige vrieswind in je gezicht eerst afweer oproept maar gaandeweg aangenaam en zelfs tintelend kan zijn.

Als meisje dacht ik altijd dat jongens of jongemannen hun handen gebruikten om je lichaam aan te raken. Dat ze je betasten, je in de hoek duwen of tegen de muur, dat hun hongerige handen tussen je kleren willen dringen.

Elron was anders. Of moet ik het zo zeggen: Elrons ogen waren anders. Het was tederheid die ik voor hem voelde. Ik had aanvechting om hem aan te raken, te strelen, zijn hoofd te liefkozen, zijn voorhoofd, slapen, ogen, mond, handen – een zusterlijke tederheid die me nu vreemd en ondenkbaar voorkomt, als een angstige schuwheid. Het was een onbekende verrukking dat zijn ogen over de stof van mijn blauwe jurk met witte stippen dwaalden, bleven haken aan de ceintuur en verder zochten naar de zomen, waaraan mijn moeder ooit een strook kant had genaaid. Mijn hart klopte en nooit eerder had ik de ervaring gekend dat mijn bloed ruiste. Alsof het leven zelf, het werkelijke, levende leven mij de eerste maal aanmoedigde. Als we kusten, vermengde zich onze adem.

Was Elron mijn eerste liefde? Onstuimigheid ontbrak, toen. We waren te jong. Van mijn man ben ik zwanger geworden. Drie kinderen. Ook van hem kwam de korte zwangerschap, waarvan de dokter zei: 'Het heeft geen hartje.' Bij het getal vijf begint mijn geheim.

Ik zal nooit tegen mijn man durven zeggen wat ik gedaan heb. Ontrouw ben ik niet geweest, nee, ik heb hem niet verraden.

Hij wilde zo graag een dochter, een nieuwe dochter, na drie jongens. Als ik er weer aan denk – en dat moet ik niet doen, dan kan ik nooit meer slapen – dan vult de gebeurtenis van lang geleden al mijn gedachten.

Vrouwen dreven als witte lelies in het zwembad.

Opeens was Elron aan het eind van het schooljaar verdwenen. Ik had gehoopt hem op de laatste schooldag tegen te komen. Dan zijn alle klassen, van laag tot hoog, immers net een grote, gezamenlijke klas en maakt het geen verschil of er een paar jaren zitten tussen de ene leerling en de ander. Ik herinner me dat ik die ochtend in de zon het schoolplein opliep. De spaken en de chromen sturen van de fietsen in het rek blonken. De ramen van de lokalen stonden open, je kon de zwarte schoolborden zien met de nog net niet uitgewiste letters en cijfers van de taal- en rekenlessen. Of de jaartallen van geschiedenis, de contouren van landen uit de aardrijkskundeles. Het was zelfs of de kastanjeboom naast de ingang van de school voller in blad stond. Het was koel in de schaduw ervan. De conciërge begroette iedereen vriendelijk, dezelfde man die je in de rest van het schooljaar onheus bejegende als je te laat kwam en je moest uitleggen waarom en of je soms een lekke band had of je had verslapen of iets anders... Hij mocht zich overal mee bemoeien.

Die laatste dag liet hij ons de vrijheid. De uitgelaten sfeer werd versterkt door gekleurde slingers die uit de ramen hingen. De vlag wapperde. Verwachtingsvol zochten mijn ogen de groep leerlingen af. Nergens zag ik het ongekamde, springerige blonde haar van Elron. Het moest toch oplichten in die helle ochtendzon. Bovendien was hij een van de langste jongens van zijn klas.

Opeens besefte ik dat hij zich vaak afzijdig hield. Dat viel door de week niet op. Dan had je weinig tijd rond te hangen. Nu volgde er een lange zomer. Ik was bang Elron niet meer te zien, tenzij ik hem toevallig op straat tegen zou komen, op de straat bij ons om de hoek. Maar dan was het of ik naar hem op zoek was, en ik wilde juist mijn geluk die ochtend in de eerste week van augustus beproeven. Dat de laatste schooldag ons samenbracht.

Vanaf dat moment wist ik dat ik spijt zou krijgen als ik hem niet zou gaan zoeken. Ik vroeg aan zijn leraar waar hij was, maar de man keek me vreemd aan. Zouden zijn klasgenoten het weten?

Ik had zoveel vertrouwen in het leven, werkelijk, het was een uur van schoonheid en dromen, alsof ik het enige meisje op de wereld was, het aangewezen meisje, om vanaf dat ogenblik omhelsd te worden en ingesloten door de armen van een jongen, die vanaf de eerste keer dat zijn ogen mij vonden niet meer uit mijn gedachten is verdwenen.

Na de dood van het meisje ben ik naar de dokter

gegaan. Het was een jonge huisarts. Door mijn wanhoop en verdriet vond ik dat hij op Elron leek. In de wachtkamer en spreekkamer hingen schilderijen, kleurrijke landschappen, stillevens met bloemen, een dorpsgezicht, een enkel portret van zijn kinderen. Ik keek er even naar en zonder dat ik een vraag stelde, zei hij dat hij in zijn vrije uren schilderde: 'Om te vergeten wat ik weet; niet te willen weten wat ik weet; een arts draagt geen harnas.'

Hij legde een rustgevende hand op mijn buik. De toppen van zijn vingers en de palm gaven me troost, al stelde hij vast dat het leven uit het kindje was verdwenen. 'Nu is het dood.'

Alfred en ik hadden al een naam gevonden. Ik durf die naam sindsdien niet uit te speken, zelfs niet zacht voor mijzelf in alle stilte.

Het is alsof ik Elron nu voor me zie staan, dat zijn gezicht gevangen is in het spiegelende glas waarachter het nu licht wordt.

De ochtend breekt aan. Er komt een glimlach rond mijn lippen. Ik weet zeker dat Elron nooit uit mijn leven zal verdwijnen; hij weet dat niet, de wereld is groot en wijd en ik ben niet bij machte hem overal te gaan zoeken.

Het gezicht dat in het glazen raam verschijnt, waaraan ik in alle vroegte mijn hoofd bezeerde, zegt iets; ik moet me inspannen en mijn hoofd schuin houden om te horen wat er gezegd wordt. Het is mijn man. Hij hoeft niet zo hard tegen me te spreken, ik begrijp alles, ik weet heel veel, ik kan het alleen niet zo helder in een zin rijgen: 'Jij hebt stemmen in je hoofd,' zegt mijn man.

Dat zijn geen stemmen. Het fluistert. Soms klinkt er zomaar muziek.

We hebben allemaal stemmen in ons hoofd, dat zijn onze gedachten. Soms praat die stem te zacht om hem te verstaan. Mijn hoofd is een veelstemmig koor.

Mijn man hoor ik met gebiedende klank zeggen: 'Straks komt de portretschilder, dat weet je toch. Je moet goed naar hem luisteren en hem aankijken, als hij dat vraagt. Of misschien wil hij dat je over zijn schouder kijkt naar een vast punt in de verte.'

Zonder mijn hoofd om te draaien, antwoord ik: 'Ik ben net een vogel die tegen de ruit is gevlogen.'

Feestslingers

Vanochtend is mijn man van huis gegaan. Als hij terugkomt herken ik hem soms niet. Hij heeft een ander gezicht gekregen, zijn ogen staan strakker en hij kijkt me bestraffend aan alsof ik een kind ben dat iets kwaads heeft uitgericht.

Vroeger, als klein meisje, heb ik een openluchtspel gezien in de duinen, niet ver van Langevelderslag. Het was hartje zomer. Het begon in de schemer en was tegen middernacht afgelopen, kil werd het. Ik had het koud in mijn dunne zomerjurk.

In het spel trad een boze geest op die een muts met bellen droeg. Hij had een gemene glimlach en hij toverde iemands gezicht om tot een ezelskop. Er deden balletdanseressen mee met vleugels van gaas en tule. 's Nachts zijn we op weg naar huis verdwaald. We waren een soort zwervelingen voor wie elk licht dat in het donker brandde een dwaallicht was. Telkens liepen we de verkeerde kant uit. Het toneelspel begon met een bruiloftsfeest, herinner ik me nu plotseling, nu ik eraan denk en hier in de woonkamer aan het plafond slingers zie hangen. Feestslingers.

Heeft mijn man die slingers aan de kast bevestigd, schuin door de kamer naar de hanglamp? Er is geen reden dit huis te versieren. Ik schrik hier zo vaak. Door het waas op de badkamerspiegel heen meende ik mijn moeder te zien. Hetzelfde grijze haar met een klem vastgezet.

In de boekenkast zie ik de boeken staan die ik vroeger las. *Als het leven danst* heet een ervan. Ik herken de rug en het bandontwerp: goud op rood. 'De liefde stort omlaag als een havik, de wereld verzinkt, de verliefden zien niets dan elkander. Van liefdesvervoering blijft alleen de plotselinge begeerte over...'

Ik ken de titels en sommige stukken uit mijn hoofd. *Als de katoen rijpt:* nog zo'n boek. En: *Op weg naar het einde, Het gebeurde in een midzomernacht, Winden waaien om de rotsen* en *Serpentina's petticoat.*

Ik heb ze allemaal gelezen en er is niemand die me dat afneemt. Ik houd mijn hoofd scheef en lees: *Papillon, Sterren boven Bombay, Oud en Eenzaam* en *De tienduizend dingen.*

Op de bruiloftsavond was er een bal masqué. Vrouwen en mannen droegen maskers die alleen hun ogen en mond vrijlieten. Er was een meisje met een zilveren masker, haar lippen felrood gestift. Een jongeman danste statig om haar heen op walsmuziek. Ik kon mijn ogen niet van die twee afhouden, ze leken in elkaar op te gaan. Het was net een paleiszaal. Tegen de achterwand van het decor stonden spiegels, zodat iedereen weerkaatst werd. De maskers waren er in allerlei kleuren. Meisjes kozen voor rood, felblauw of zilver. De mannen voor wit en de jongens gaven de voorkeur aan zwart.

Het moet een besef van vrijheid geven een masker te dragen. Niemand weet wie je bent. Niemand herkent je en als man mag je schaamteloos een meisje het hof maken. Ik zag hoe een jongen zijn arm om het middel van een vrouw sloeg. Zij weerde hem niet af, integendeel, ze duwde haar lichaam tegen hem aan. Het was of ik droomde tijdens die midzomernacht.

Pas de volgende morgen vroeg werd ik thuis wakker. Het feest was voorbij en ik schrok: was ik wel in de duinen geweest? Het leek zo ver weg, alsof het niet was gebeurd.

Ik moet niet te veel aan vroeger denken. Er is geen verraderlijker gevoel dan heimwee, dan het verlangen naar een tijd die verloren is. Nadat de kinderen het huis verlieten en met hun vrouwen of vriendin en later kinderen elders gingen wonen, is dit een huis geworden van stilte en stof. Soms is het net of de stilte met trompetten in mijn hoofd bazuint. En het stof dempt dan alle geluiden. Ze raken verstikt in het meubilair, de zware stoelen, de buffetkast, de stoffen lampenkappen, het tapijt.

Soms zie ik, vanuit mijn ooghoeken, dat mijn man met een vingertop over de bovenkant van een kast strijkt, alsof hij iets zoekt. In werkelijkheid wil hij mij laten zien dat de kamer al in tijden niet is gedaan.

Mijn leven lang heb ik een hekel aan stofdoeken gehad. Het zijn pluizige vodden waarmee je stof nooit wegneemt, je verplaatst het eerder.

In het begin reden mijn zonen mee met de trein, later kwamen ze aan en vertrokken met de auto.

Kinderen op de achterbank. Ik wuifde ze altijd lang na. Ze leven niet meer bij je in hetzelfde huis onder hetzelfde dak, ze komen bij je op bezoek. Ze reden de straat uit en zwaaiden niet meer. In de bocht knipperde de richtingaanwijzer. Dat was het laatste wat ik van hen zag. Kinderen, verdwenen uit mijn leven.

En toch aldoor bang dat hun iets overkomt.

Hier in dit huis woont niemand meer, behalve wij tweeën dan. Als de zon schijnt, danst het stof in de banen zonlicht. Dan zie ik ook dat ik de ramen moet zemen. Ik kan zelfs het buffet niet openmaken, de sleutel is zoek. Of heeft mijn man die bij zich gestoken?

Ik zit hier doodstil aan het raam. Toch heb ik een vermoeden dat ik onderdeel ben van een groter geheel, een gezin, familie, hemelkoepel. Ik kan geen namen onthouden, geen gezichten, ik kan alleen ademen. *Voor de orkestmeester, zoals: Grapefruit moon, one star shining, shining down on me.*

In de krant van gisteren stond het bericht dat een vrouw die alleen woonde zichzelf en het huis in brand had gestoken. Ze had het gas opengedraaid en er een met water gevulde fluitketel op gezet. De net aangestreken lucifer, met het dansende vlammetje, doofde ze weer. Het was in de namiddag, theetijd. De keukenramen waren gesloten. De voordeurbel ging over en ze liep door de gang naar de vestibule. Trok de keukendeur achter zich dicht.

Ze moet zich vergist hebben. Er was niemand aan de deur. Toch wist ze zeker dat de bel had geklonken, scherp en doordringend. In de keuken stak ze opnieuw een lucifer aan. Er ontstond een steekvlam die haar haren schroeide en haar kleren in korte tijd met vuur bedekte. De lucifer kwam uit het doosje van Zwaluw. Ik zie het zo voor me: zachtgeel van kleur, de vliegende vogel erop, *säkerhets tändstickor*, het ruwe strijkvlak aan de zijkanten.

Zoiets had mijn moeder ook kunnen overkomen. Of mijn zussen.

Mij niet.

Ik ben altijd voorzichtig met vuur, ik ben als de dood voor brand. Als kind durfde ik nooit te slapen als ik wist dat het vuur in de kachel achter de kleine ruitjes nog brandde. Dan zag ik de vlammen beven en dansen boven de kolen... de vonken spatten in het rond... ik zag vlammen sluipen over het tapijt. Telkens ging ik naar beneden, de koude traptreden af, of het vuur was gedoofd. De gordijnen van toen in dat huis aan de kade waren donker en zwaar, ze dempten het geluid. Moeder deed ze 's avonds, voordat de avond was gevallen, al dicht. Zo zaten we in de naargeestige, duistere woonkamer.

Ik glipte de kamer uit, de gang door en deed zonder geluid te maken de voordeur open. Het was een zware deur met een koperen klink, die mijn moeder eens in de maand oppoetste. Uit een busje deed ze een sterk ruikend middel op een speciale, zachte stofdoek. Het busje was wit met blauwe, stervormige strepen eroverheen en in rode letters stond er een naam op... Brasso, ja. Als mijn moeder de deurklink en de brievenbus had gepoetst, dan kon je je gezicht in het koper bekijken, zo spiegelde het, ik herinner me alles.

Zie je, mijn geheugen is scherp en helder. Ik vraag me alleen vaak af: 'Hoe lang moet ik hier blijven?'

In de verte boven de bollenvelden, daar waar het leek of het landschap samenvloeide met de hemel, ging de zon onder. Over de uitgestrekte velden kwam een zonnegloed. Ik zeg niet dat de velden in brand stonden, maar het leek wel zo. Het anders zo duistere land, met kaarsrechte sloten en strakke lijnen, net een rekenschrift van vroeger, veranderde in een rode, vlammende zee. Ik wilde weg uit dit donkere huis en naar de langzaam verdwijnende zon kijken. Ik kneep mijn ogen dicht, tuurde door mijn wimpers en het leek net of de zon niet onder wilde gaan en juist over de horizon gleed.

Ik ben nu oud. Niet heel oud. Vierenzeventig is niet een leeftijd waarvan je zegt dat het leven voorbij is. De velden uit mijn jeugd zal ik altijd voor me zien, als ik mijn ogen dichtdoe dan liggen ze daar. Ze zijn me vreemd nu, want ik ben in jaren niet in Sassenheim geweest, en tegelijk vertrouwd: ik heb al die herinneringen aan het kroos op de sloten en de vogels, aan de kale velden in de winter, daarna de eerste, aarzelende bloei in het vroege voorjaar en de uitbarsting van tulpenpaars, narcisgeel, hyacintroze en gladioolrood een maand later. De arbeiders zijn altijd op de velden, geknielde gestalten die zich liefdevol over de grond buigen. In de zomervakantie komen schoolkinderen in de grote schuren de bollen pellen. Jongens en meisjes door elkaar. Ze verdienden er wat geld mee, niet veel. Van dat geld gingen ze dan op reis.

De bloei op bollenvelden is altijd kortstondig. Dat

vergeten mensen, die denken dat de velden altijd in kleur staan. Eerder zijn geestgronden maanden lang grauw en grijs.

Als dochter van een landwerker mocht ik niet meedoen met het pellen. Het waren vooral kinderen uit de stad die de bollen pelden. Ik kwam al genoeg buiten. Maar daar ging het mij niet om. Mijn ouders hadden het arm en als ik bollen pelde, kon ik mijn vakantie daarvan betalen. Hoefde ik daarmee mijn vader en moeder niet lastig te vallen. Het was een afspraak tussen de bollenboeren en knechten dat hun kinderen zich ver van de werkzaamheden op het land hielden.

Waarom?

Ik heb het papa wel eens gevraagd, was boos, hij haalde zijn schouders op, zo was het afgesproken, zo was het nu eenmaal. Deze stadskinderen hadden zon nodig. De lucht van het land. Ik had ze alles kunnen vertellen. Over de geuren 's morgens vroeg, als er mist opstijgt uit de sloten. Dan ruikt het gronderig. Over het geluksgevoel dat iedereen overvalt als de eerste bloei uit de grond komt, zo heet dat: 'De eerste bloei is uit de grond.'

Ik wilde zo graag onder de jongens en meisjes uit de stad zijn. Met hen praten, lachen, de verhalen van de meisjes horen en de ogen van de jongens op mijn rug voelen branden. Ik stelde me voor dat zij mij alles lieten weten over hoe het is in de grote stad te wonen. 's Avonds uitgaan met een mooie jurk aan. Lantaarns die de straten verlichten en de lampen achter de ramen waar de mensen wonen. Winkels met dure spullen.

Ginds, toen, in het weemoedig stemmende Sassenheim: 's avonds prachtig aangekleed en nergens heen kunnen. *Voor de orkestmeester, zoals: Franz Schubert, Klaviersonate B-dur D. 960, Molto moderato.*

In Haarlem ben ik een keer in de schouwburg geweest, overdag, niet 's avonds. Met een schoolreisje. Het was een donker, somber gebouw van grijze steen met trappen aan de voorzijde. Door een draaideur gingen we naar binnen. In de hal lag een fluweelrood tapijt. Het was er statig en stil, de kinderen begonnen vanzelf te fluisteren. De meester vertelde dat 's avonds, bij voorstellingen van theater, opera of dans, plaats is voor vijfhonderd mensen in de zetels van pluche. Dat moeten rijke mensen zijn, want mijn ouders konden dat geld niet neertellen. Mijn kindertijd was er een van 'nette armoede'. Je mocht nooit laten merken dat je familie het krap had.

De zaal met lege stoelen was een donkere afgrond. Er woei een koude tocht langs mijn blote benen. Voor het toneel hingen zware gordijnen van rood fluweel in wijde plooien. Links en rechts ervan prijkten pilaren, waarop gouden figuren en bloemmotieven waren afgebeeld. Ik keek goed en zag dat het vrouwengestalten waren met een wulps, bloot bovenlichaam en een draperie om het middel; een toneelgordijn als jurk. Ze hielden een soort fakkel in hun handen. Tegen de wanden hingen sierlijk gevormde, kleine koperen lampen, maar die brandden niet. Een van de jongens uit de klas ging op een stoel zitten die luid kraakte.

Overdag heeft een schouwburg niets feestelijks.

Er was een man die zich de 'toneelmeester' noemde en hij nam ons mee naar de ruimte waar alleen de toneelspelers mochten komen. Hij zei: 'Dit is het verborgen rijk achter de coulissen.'

We gingen achter hem aan door een deur aan de zijkant van het podium. Er hing een geheimzinnige schemering, de rechte decorstukken met daarop afbeeldingen van een bos vormden een bolwerk, de kaalheid van de planken, de eindeloze hoeveelheid touwen en gewichten, lichten boven ons hoofd en een balk met lampen erin aan de rand van het podium dat, zoals we hoorden, 'het voetlicht' heet. De stilte werd verstoord door het geluid dat onze voetstappen op de planken maakten, ik hoor het nog altijd, als een dreigend bonken, zo klonk het. Het was er kil als in een kelder. Het beangstigde me, al had ik van het bezoek zoveel meer verwacht.

De toneelmeester vertelde over de mannen en vrouwen die acteurs heten. Zij komen aan de zijkant het theater binnen. 'Artiesteningang' staat boven de deur, uitgehakt in steen. Door een doolhof van gangen en trappen, waar nooit iemand uit de gewone wereld mag komen, begeven ze zich naar de kleedkamer. Sommigen, de sterspelers, beschikken over een eigen kleedkamer, de anderen delen de ruimte met elkaar. Ze schminken hun gezicht in een spiegel met aan de bovenzijde een regenboog van lampen. In kisten zijn de kostuums weggeborgen. Ze zetten een gekke pruik op, een rare hoed, slaan een mantel om, doen laarzen aan, de actrices lopen op zilveren muiltjes en dragen lange japonnen van zijde met een sleep. Hun ogen zijn fel opgemaakt met zwarte vegen en kunstwimpers. Als de voorstelling begint, klinkt de gong, hoogste tijd, nog eens slaat de gongklok drie keer, langzaam dooft het licht en met het zachte ruisen van het doek verspreidt zich in de zaal de geur van kunstmatig leven.

Ik kan het me goed herinneren; op een dag niet meer, dat heeft mijn man me voorspeld. Ik raakte telkens mijn sleutels kwijt en hij zei, met de overtuiging hem eigen: 'Pas toch op, straks word je 's ochtends wakker en weet je niet meer wie je bent en in welke kamer je ligt. Je gedachten zullen vervliegen...'

Ja, vervliegen als rook, denk ik dan. Mijn man is mij aan het verliezen, zegt hij. Dat komt omdat ik sleutels vergeet en door het nachtelijk dolen. Dat houdt hem uit de slaap, dat maakt mij overdag doodop.

Ik was een schoolmeisje dat zich van elke gebeurtenis altijd veel voorstelde. Ik geloofde in beloftes als cadeaus, telkens weer de gekleurde feestelijke strik lostrekken die eruitziet als een versierde hoofdletter, dan het ritselende geschenkpapier openmaken, kloppend hart van verwachtingen.

Op het toneel staan de spelers in het licht van de schijnwerpers en spreken ze teksten uit die ze zelf niet hebben bedacht. Maar je kon dat geen liegen noemen. Als de een loog dan loog de ander net zo hard. Nee, levende wezens kon je ze niet noemen, toneelspelers, eerder klopgeesten die nog geloofden in kinderachtige verkleedpartijen en onwerkelijke werelden. *We are such stuff as dreams are made on, and our little life is rounded with a sleep.* Vreemd toch dat er veel mensen naar zo'n schouwburg gaan. Ik vind het er kil en naargeestig, de spelers zwerven er rond als dode zielen.

Voor mij is het moeilijk genoeg zomaar elke dag de mensen te herkennen, namen te vinden bij gezichten.

Er komt een vreemde man de kamer binnen. Ik herken hem. 'Oh, hij is het, jij bent het,' fluister ik zacht. Ik zie dat hij glimlacht. Maar ik hoor geen stem, misschien straks. In zijn gezicht komt me wel iets bekends voor, nu ik goed kijk. Het is iemand van lang geleden.

Hoorde ik daar de bel? Een gongslag?

Ik had toen een vriendje, later werd hij mijn man en nu ben ik eigenlijk vergeten hoe hij heet en waar hij woont, soms zie ik hem hier langs het huis in mijn straat lopen, hij komt door de voordeur naar binnen, net alsof hij een eigen sleutel heeft. Toen ik hem laatst tegenkwam, vond ik dat hij oud was geworden. We zijn allemaal oud in vergelijking met de jeugd uit de stad. Die zingt, die danst. Wij kunnen dat niet meer.

Oh God, waarom is dat zo beslist? Waarom moet de ouderdom zo ijzig koud onder mijn huid sluipen, tussen mijn botten gaan zitten? Een vroegere vriendin van me was naaister van lingerie. Daarmee verdiende ze geld voor het hele gezin, want zij waren net zo arm als wij. Ook haar vader zat in de bollen. Waarom denk ik daar nu aan? Zij was een vriendin van om de hoek in Sassenheim. We waren negentien, misschien al twintig. Zo jong dat onze huid straalde. Onze ogen glansden. We wilden ogenzwart gebruiken om ze sprekender te maken, maar in dat dorp van tulpenkwekers, kruideniers en melkboeren van ons kon je niet eens mascara kopen. Daarom gebruikten we het zwart van afgebrande lucifers dat we met een natte vinger over onze oogleden wreven. Kool, heette dat.

Jojanneke en ik waren de parels van het bloembollendorp.

Zou zij nu ook als een vergeten vrouw tussen de gordijnen en door de vitrage heen naar buiten staren?

Jojanneke was mooier, ik haar schaduw, en ze keek op een bepaalde manier naar mannen, zo, iets omhoogkijkend en haar hoofd wat opzij houdend, alsof ze naar hen opkeek. 'Dan vergeten ze je nooit,' fluisterde ze me eens toe.

Ze hield de lingerie gauw voor gezien: het leek haar sneller en voordeliger om haar eigen lingerie met kant en ruches voor een man uit te trekken, haar zwarte, zijden kousen los te knopen van haar jarretel en langzaam langs haar benen af te rollen, dan voor een stel andere vrouwen lingerie in elkaar te flansen, die daar dan goede sier mee maakten.

Ze werd maintenee, ze zei: 'Ik ben verzot op mijn eigen lichaam, ik wil het met iemand delen.'

Dat had ik een meisje van het dorp nooit eerder horen zeggen. Ik was sprakeloos. Van je lichaam houden, er voor de spiegel uren naar kijken, en het daarom willen delen. Ik kon toen al haar gedachten niet goed volgen.

Ik bloosde ervan. Jojanneke niet. Ik heb haar in jaren niet gezien, het was de mooiste tijd van mijn leven, met Jojanneke en de jongens van het dorp.

De laatste keer reed zij voorbij in een open wagen, een Amerikaan. Over de zijkant van de banden zat een witte bies. Het chroom fonkelde. De auto had een zachtgele kleur, dat zie je nu niet meer. Het was net of aan de achterzijde een scherpe vliegtuigvleugel was bevestigd. Een man, al wat ouder dan zij, zat achter het stuur. Hij had een zonnebril op. Haar kapsel leek net een suikerspin. Een sjaaltje zwierde in een krullend vraagteken over haar schouder. Ze zwaaide naar me. Haar tanden blonken erg wit.

Zij had een tante, Rosina, en die zat in hetzelfde beroep. Mij wilden ze erin meeslepen, maar ik durfde niet. Jojanneke leefde in een droomwereld van rozen en van hotels met zwembaden, een kamer als balzaal, gedempt licht van kroonluchters, mannen met geld die haar chaperonneerden naar het Kurhaus, haar naaldhakken verdwenen in het fluweel van de tapijten. Parels als oorbellen. Later zijn mijn man en ik rijk geworden en ik begon iets van Jojannekes leven te begrijpen. Nu zal ze niet meer meetellen in die weelde. Nieuwe jonge vrouwen hebben haar plaats ingenomen.

Vaak vraag ik me af of ik spijt moet hebben van mijn weigering aan Jojannekes verborgen leven deel te nemen. 'Het is allemaal onschuld en schijn,' zei ze dan om me te overtuigen, 'je draagt een fraaie jurk en hoge hakken, mannen zijn altijd aardig voor je. Je moet alleen je eigen kleedster zijn. Mannen houden van elke keer andere kleren, raken verslaafd aan gedaanteverwisseling. Nu eens verkleed je je als een barones, dan weer als strenge juffrouw van een kostschool of als een schoolmeisje met witte kousen aan en een blauw uitstaand rokje. Dat maakt jou sterker, het geeft je macht over hen en zo kan je niets meer gebeuren.' Haar leven speelde zich vooral 's nachts af. Wanneer ik naar bed ging, deed Jojanneke de deur achter zich dicht en verdween in het duister. Ik meende soms het heldere, scherpe klikklakken van haar hakken in de straat tegen de huizen te horen weerkaatsen. Aan het einde van de dorpsstraat lonkte een andere, verre en voor mij onbereikbare wereld. Niet voor Jojanneke. Zij had lef; ik niet. Waar ik juist bang was voor het onbekende, als kind al, werd zij erdoor aangetrokken.

Kwam de zon op, ging Jojanneke slapen.

Jojanneke en die man reden veel te snel voorbij over de kade en ik riep nog naar haar: 'Jojanneke! Jojanneke, zeg, luister eens... Ik moet je iets vertellen.'

Ze deed een vinger voor haar lippen, ssst, alsof ze me tot stilte wilde manen. Ze schoten de bocht om. Ik raakte haar kwijt, naar ik begreep voorgoed.

Enkele dagen later zei een meisje van het dorp tegen me: 'Jouw vriendin, Jojanneke, die heeft haar naam laten veranderen. Ze heet nu Valéry.'

Ik kijk naar de gordijnen en zie dat de rafels eraan hangen. Straks moet ik een schaar pakken en die losse draden eraf knippen.

's Winters, als het vriest, worden de dahlia's op het land zwart. Daarna dwarrelt er witte sneeuw overheen. Soms blijft het zwart door de sneeuw schemeren, net of het wit aarzelend is, schoorvoetend.

Als ik aan mijn zonen denk, dan herinner ik me hen aldoor op een bepaalde leeftijd, bijvoorbeeld negen of zestien. Misschien waren dat de mooiste jaren van Maarten en Johan. Eerlijk gezegd is de jongste, Kasper, uit mijn herinnering verdwenen. Tussen hem en de oudste zit een heel stel jaren, ik ben de tel kwijt. Nu zijn het volwassenen met vrouw en kinderen, rijden ze auto en wonen elders, in het westen van het land. Het zal vast een groot huis zijn waarin zo'n gezin woont, dat moet wel met kleine kinderen. Maar Johan zal altijd zestien blijven met zijn brutale lach en ogen die je aankijken of hij mij op een fout of vergissing betrapt.

Dan zegt hij bijvoorbeeld: 'Mama, dat heb je al verteld.'

Ik: 'Nee hoor, Jojanneke was een meisje van het dorp dat haar geld verdiende met het naaien van kinderkleertjes, daar was na de oorlog veel gebrek aan. Ze had een rijke fantasie, nee, nu moet je niet zeggen dat ik het verkeerd heb, zo is het niet... Het is toch mijn herinnering, jij was daar toch niet bij, of wel soms? Jullie zijn van ver na de oorlog, hebben de oorlog niet meegemaakt.'

Ik voelde dat mijn ogen samenknepen. Mijn wang begon te trillen en al probeerde ik het tegen te houden, het beven vlak onder mijn huid hield niet op.

'Niet huilen, mama. Je moet maar niet huilen, zo erg is het niet.'

Maar mijn leven is toch niet stil blijven staan op de zestiende van Johan of Maarten op zijn negende? En Kasper dan? De wereld is toch niet opgehouden? Alles is op een willekeurig tijdstip in mijn leven tot stilstand gekomen, raakte gefixeerd. Het is net of Maarten de leeftijd van negen in mijn ogen nimmer heeft overschreden.

Ik besef dat ik zo niet mag denken. Maarten zat eens tegenover me, zijn gezicht gloeide, dat kon ik makkelijk zien, en hij hield me voor: 'Mama, zo mag je niet denken.'

'Ik meende het niet. Het was net of die gedachte zomaar opdook, dat ik er geen weerstand aan kon bieden. Is dat zo vreemd?' Aan de blik in zijn ogen kon ik zien dat hij me niet geloofde. Er school een wantrouwen in dat mij onbekend was, ik zag het voor het eerst, en liever wilde ik dat ik die achterdocht in zijn altijd zo open ogen nooit had gezien.

Sinds kort heeft hij een vriendin, ze hebben zelfs al trouwplannen. Komt het daardoor dat Maarten verandert? Ik probeer zijn gezicht in het schemerduister van de kamer te onderscheiden. Ik wrijf met mijn rechterhand over mijn oogleden, er hangt een dichte sluier voor die me belet scherp te zien. Dichte gordijnen, muren, die waas voor mijn ogen: het is of ze mij insluiten.

Ik zei verder maar niet tegen Maarten dat het heel gewoon is gedachten te hebben, zomaar, zonder dat je erom vraagt, ze dringen eenvoudig je hoofd binnen. Het is dezelfde gewaarwording als met inslapen. Eerst verweer je je tegen de slaap, tot die je overmeestert. Overal door liefderijk water omhuld te zijn, nergens pijn of weerstand meer te ontmoeten, is nog heerlijker dan slapen.

Ik weet niet eens hoe oud hun kinderen zijn. Ze hebben me dat nooit verteld en ik weet niet waar de kalender is. Mijn man maakte vroeger elk jaar opnieuw een kalender, zonder dat het nodig was. 'Dat maakt je vertrouwd met de tijd,' zei hij. In de paar dagen voor oudjaar begon hij ermee en hij probeerde altijd klaar te zijn om twaalf uur 's middags van de laatste dag van december.

Hij zei dat hij dat voor mij deed. Hij zei ook dat we toch nooit het uur van middernacht zouden halen: 'Dat duurt te lang.' Op die middag schenkt hij me ongevraagd een glaasje advocaat in. Het smaakt me niet. En de kleur geel staat me tegen. Tijdens de jaarwisseling slaap ik. Nooit meer zal ik vuurwerk tegen de nachtelijke hemel zien stralen in fonteinen van vonken.

Welke tijd eigenlijk? Op een verjaardagskalender staat nooit een jaartal, op de gewone wel.

Zonder dat ik erom vroeg gaf hij uitleg met zijn te harde stem, ik kon hem goed verstaan, die harde stem deed pijn aan mijn oren: 'Het helpt je de namen van de kleinkinderen te onthouden en wanneer ze jarig zijn. Ik zet erbij wanneer ze zijn geboren, dan kun je uitrekenen hoe oud ze zijn geworden. En kijk eens, hier op de nieuwe kalender schrijf ik erbij hoe oud ze dit jaar worden. En wist je dat Maarten en Karin een nieuw kindje hebben gekregen, een half jaar geleden? Het geboortekaartje staat nog steeds op de schoorsteenmantel. Een meisje, Leonie. Het was op 23 maart.'

Ik herinner me dat verjaardagskalenders altijddurend zijn. Toch raak ik in de war. Ik mis de namen van de dagen op zo'n kalender. Of het een woensdag of vrijdag is, dat maakt veel verschil. Een zondagskind of een kind van de maandagochtend, dat is niet hetzelfde.

Mijn man heeft nu als het ware van een kalender een agenda gemaakt, of andersom.

Ik kijk vaak, wel elk uur, in de agenda die opengeslagen op een tafeltje naast het telefoonapparaat ligt. Voor elke dag is een bladzijde gereserveerd. Een rood lint kronkelt schuin naar opzij. 's Avonds, voordat hij naar bed gaat, slaat mijn man een bladzijde om, verschikt het lint, scheurt onderaan een klein hoekje uit en verzucht zoiets als: 'Er komt een nieuwe dag aan...'

'Dat weet ik nog niet zo,' zeg ik dan.

'Het is toch donker buiten?' Ik begrijp niet waarom hij dat aan mij vraagt.

'Je hebt de gordijnen te vroeg dichtgedaan, daar komt dat door. Mijn moeder schoof als de zon nog scheen de gordijnen toe, als kind kreeg ik een vreemd gevoel, net of ik iets miste. Ik rende naar buiten en daar was het net of de zon boven de geestgronden een brandende fakkel was. Als je de gordijnen openschuift, zie je dat het licht is buiten.'

Ik hoor mijn stem in de stille kamer klinken.

Het is zo stil om ons heen dat ik zachter ga praten, alsof ik schrik van mijn eigen stem.

Ik loop naar het tafeltje en blader in de agenda. Er staan kruisjes en namen bij de dagen. De afspraken van mijn man. Hij gaat altijd alleen, afspraken zonder mij. Mijn man vraagt me niet hem te vergezellen.

Schemerlampen, de eettafel, stoelen, ik zie spinrag boven in de hoek van het plafond, de theetafel met daarop het servies van gebloemde kopjes, op de schouw staat een klok die voorloopt, de vaas met bloemen en de hanglamp met koperen bol aan de onderzijde die het tafereel van stilte in een huiskamer weerspiegelt.

Spinrag en spinnenwebben heb ik altijd het stilste gevonden dat bestaat. En dwarrelende sneeuw.

'Vind jij dat ook niet?' Mijn gedachten gaan verder, als een aanstromen en wegebben. Het is of mijn wil betoverd is. Plotseling en zonder dat ik me er rekenschap van kan geven waarom komen de woorden en de herinneringen. Alles vliegt weg van toen naar nu. Als ik de herinneringen hardop uitspreek is het net als vroeger, is alles weer hetzelfde. Waarom heeft mijn man niet goed naar me geluisterd en zijn we niet nog eens naar de Zandslootkade gegaan? Ik wil weer over de klinkers lopen. Met de rij lage huizen aan de ene kant en het verschiet van de velden aan de andere.

'Het is veiliger gordijnen te sluiten als het nacht is,' hoor ik.

Wat ik ook moeilijk vind, is om mijn ogen af te wenden van het voorwerp waarnaar ik kijk. Die eigenaardige verslaving maakt me angstig. Ik zou willen dat ik heen en weer kon lopen in de salon. Het is of mijn armen zijn vastgebonden aan de stoelleuning. Voor mijn idee tuur ik nu lange tijd naar de zilverkleurige kandelaar. De kaars is gedoofd. Natuurlijk, mijn man is bang dat er brand zal uitbreken.

Waarom hebben mensen altijd hetzelfde gezicht? Ik vraag me dat vaak af en het is een gedachte die alsmaar in me opkomt, net een dreinend zeuren. Het is onthutsend elke ochtend met hetzelfde gezicht wakker te moeten worden, niet alleen jaar na jaar, een heel leven lang. Zullen de mensen die langskomen en naar binnen kijken zich afvragen: 'Zit daar elke dag diezelfde vrouw?'

Toch verandert er voortdurend van alles in dit huis. Ooit stond daar in de hoek een zwarte piano. Johan speelde erop, maar op de dag dat hij het huis verliet om 'op zichzelf te gaan wonen' nam hij het instrument mee. Als hij de toetsen aansloeg, klonk er een gebroken onderwatermuziek uit die de treurnis verklankte waaraan mijn leven ten prooi zou vallen, al had ik daar nog geen vermoeden van. Het was het verdriet omdat kinderen het huis verlaten. Ze zijn plots op een dag vertrokken en je kunt ze niet meer terugvinden. Ik zocht ze vaak in het huis, dat intussen steeds meer het patroon van een onheilspellend doolhof begon te krijgen. Vroeger kon ik het huis uit mijn hoofd uittekenen, dat lukt nu niet goed meer. Ik tekende de straat en het tuinpad, dan de voordeur en liet zien hoe je door de vestibule en de gang naar de keuken liep. Nam je de eerste deur links, dan lag daarachter de woonkamer met de twee kamers en suite. De slaapkamers van de jongens en de 'echteliedenkamer', zoals mijn man het altijd noemde, lagen aan de voorkant. 's Nachts was het doodstil, 's morgens in alle vroegte begonnen de auto's voorbij te razen. De vogels zongen daar dwars doorheen.

Mijn man en ook de kinderen vroegen aan me 'of ik het huis wilde uittekenen'.

'Waarom?' vraag ik.

'We willen de tekeningen bewaren voor je kleinkinderen. Dan laten we die aan hen zien en zeggen: "Kijk, hier zit grootmama in de stoel aan het raam en kan ze goed zien wat daar allemaal gebeurt."'

Ik dacht dat ze me voor de gek hielden, maar het was niet zo. Ze verzekerden me dat ik de 'liefste grootmama' van de wereld was.

In de spiegeling van de ruit zie ik dat de kamerdeur opengaat en dat mijn man binnenkomt. Zijn voetstappen kan ik niet horen. Ze klinken gedempt.

Zie ik het goed? Is mijn man niet alleen?

Ik moet mijn ogen samenknijpen om goed te kunnen zien wat er gebeurt in de huiskamer. De deur zwaait verder open dan gebruikelijk, alsof iets dat heel groot en machtig is zijn entree maakt. Een vaas die achter de deur op de grond staat met bloemen erin – gladiolen? seringentakken? – wordt bijna geraakt en ik houd mijn hart vast.

Even is het stil, een luwte waarin niets gebeurt.

Gelukkig ben ik geen gewone vrouw met gewone gedachten. Zo'n vrouw zou meteen zijn opgesprongen, denkend dat een angstaanjagend dier binnensluipt. In de tijd van Elron, mijn vriend die voor het eerst mijn hand vasthield, zou dit niet gebeurd zijn. Mijn man is in zichzelf gekeerd, als zo vaak zeg ik tegen hem: 'In ons bestaan glijden we langs elkaar heen als vogels hoog in de lucht, ja.' Hij laat me nooit iets weten.

Ik zou met iemand willen praten over mijn hand die nu op de stoelleuning ligt. Maar niet alleen over mijn hand die, als ik de vingers optrek, de gedaante aanneemt van een spin. Kijk, hij kruipt vooruit, beweegt. Er schuilt iets geheimzinnigs in handen. Op dat Griekse eiland daalden wij af in de aarde, mijn man en ik, hand in hand. Over een gladgeslepen rots ging het tot verre diepte steil omlaag. Het werd steeds killer en vochtiger. Beneden lag een meer van zwart water, doodstil, dat niets weerspiegelde. Het was of we naar de achterkant van een spiegel keken. Elron en zijn vrouw – hoe heette zij ook weer? – gingen niet mee naar die heilige plek. Zij bleven liever aan het strand, in het verblindend blauwe licht van de hemel. Wij doken onder in die grot. Bij de ingang ervan stonden drie gebroken zuilen, als ondoorgrondelijke tekens.

Niet zo sprakeloos kijken, begrijpt niemand me?

Het moet lang geleden zijn dat mijn man mijn hand vastgreep. Nu ik ernaar kijk, denk ik aan wat kinderen in een zandbak doen: met de ene hand besturen ze een speelgoedauto, duwen hem voort, maken er bochten mee, remmen, en met de andere hand, vaak gelijktijdig, graven ze voor die wagen een weg door het zand. Zo is het ook met mijn handen en mijn leven: ik leid mijn leven dankzij het werk van mijn handen. Die graven de weg. Om dit uit te drukken heb ik woorden nodig.

Maar de woorden komen zo langzaam in mijn hoofd. Alsof ze verstoppertje spelen en ik ze aldoor moet zoeken.

Kom, alsjeblieft, als woorden mij in de steek laten wordt het nog stiller om me heen en vooral: donker.

Bestaan er lichtgevende woorden? Ik heb ze wel eens gezien. Als je in een inktzwarte kamer bent of in een heel donker bos, en je zegt hardop het woord 'lamp' of 'kaars' of 'zonlicht', dan is er ineens licht om je heen, in een fractie van een seconde. Heel kort en toch is het er: die kaars, die lamp.

In dat bos.

Ik kijk naar mijn hand, zie de aderen kloppen vlak onder de huid, alsof zich daaronder een leven afspeelt waaraan ik geen deel heb. Ik ben altijd zorgvuldig geweest op mijn nagels en vooral nagelriemen. Met de punt van de vijl duwde ik die naar achteren, zodat mijn nagels glanzend en groot zouden zijn. Ik lakte ze altijd felrood. Maarten hield van de geur van nagellak. Hij bestudeerde de langzame bewegingen waarmee ik met het kwastje over mijn nagels streek.

Als ik klaar was en het kwastje vastschroefde in het flesje, zei hij: 'Mama, nu laten drogen hoor!'

Ik moest mijn handen en vingers laten wapperen, zodat de lucht erlangs gleed. Ik leek een fladderende vogel, en wij lachten erom, Maarten en ik. Diezelfde handen die het huishouden hebben gered-derd, kinderen opgevoed, waarmee ik heb gewerkt in de keuken, die muren en plafonds van huizen hebben gewit, die handen liggen nu doelloos en stil op de leuning van de stoel. Alsof ze niet van mij zijn.

Met een gerust hart kan ik zeggen dat zonder die handen de kinderen nooit hadden bereikt waar ze nu terecht zijn gekomen.

In de keukenla ligt een oud schilmes. Ik kreeg het voor mijn huwelijk. Het was een breed mes, vlijmscherp, het staal fonkelde. Mijn leven lang heb ik het gebruikt om aardappels te schillen, groente te snijden. Op het lemmet zitten roestplekken, dat is niet het ergste, het staal is door het schillen en snijden zo ingesleten dat er nog maar een paar millimeter van over is. Al die jaren zijn in de keuken vergaan tot ijzervijlsel.

Ik heb de schillen weggegooid, in de vuilnisemmer. In de tijd van mijn moeder kwam elke week de schillenboer langs, een oude kromgegroeide man met een donkerbruin, ribfluwelen pak aan. Op zijn ellebogen had hij leren stukken. Hij droeg een pet. Wij, zusters, prille meisjes nog, waren bang voor hem. Hij keek of hij ons pardoes in zijn kar wilde kieperen en tussen het afval, de appel- en sinaasappelschillen, de uitgebloeide bloemen, de rotte bollen, de afgedankte uien en de dorre bladeren mee wilde nemen. Hij kwam ongevraagd door de keukendeur binnen. Mijn moeder schrok, maar zij durfde hem niet te berispen. Hij gaf geld. Aan geld was altijd gebrek. Hij had harde handen. Telde hij de munten uit, dan sprongen vonken van het koper of nikkel tevoorschijn.

Als het had geregend boven de velden, brak er een regenboog door het hemelgrijs heen. De zon bleef schijnen. Kermis in de hel.

'Kermis in de hel.' De stem van mijn moeder. Op het laatst van haar leven was haar huid droog als gipskruid.

Op het eind van mijn leven zal mijn huid eveneens droog zijn als gipskruid.

Mijn man komt binnen, nee, het is mijn man niet. Mijn voorhoofd wordt koud. Ik moet nadenken. Ik ken deze mijnheer niet. Hij is groot en heeft donker haar, zijn nek is breed en zijn schouders lijken me sterk. Hij heeft slanke handen. Over zijn ene schouder draagt hij aan een riem een platte, houten kist.

In zijn rechterhand heeft hij een voorwerp dat bestaat uit drie lange, houten poten die ineengeklapt zijn. De poten eindigen in een scherpe punt. Aan de andere zijde komen die poten samen in een ijzeren scharnier.

De man beweegt zich met zwier. Nu hij dichterbij komt, zie ik dat hij jonger is dan ik eerst dacht. Hij draagt het donkere haar lang, het valt tot op zijn schouders. Hij heeft een spiedende oogopslag, alsof hij iets zoekt. Voordat hij mij aankijkt, werpt hij een blik in de woonkamer. Zijn ogen blijven rusten op de schilderijen. Ik kijk mee. Opeens vind ik het slechte schilderijen en schaam ik me ervoor. Een landschap met veel groen en donkere boompartijen, een bloemstilleven van paarse tulpen die uit een groene vaas krullen, een golvende zee. Hoe zijn die doeken hier gekomen? Heeft mijn man ze gekocht, wanneer?

Ik kan het me heus herinneren, maar neem er niet de moeite voor. Het wordt spannend in huis. Moet mijn man voor hem geen koffie inschenken? Wedden dat die onbekende iets van mij wil, alleen weet ik nog niet wat. Dat hoor ik straks. Ik wacht op het ogenblik dat hij het woord tot mij richt. Dat leerde ik van mijn moeder. Een meisje moet haar plaats kennen. Dat is nu wel anders.

Kijk eens naar de vrouwen van mijn jongens. Zij kwamen dit huis binnen alsof ze het wilden veroveren. De aanstaande van de oudste zei zelfs een keer: 'Als u dood bent, mag ik dan deze kast erven?'

Maarten hoorde het niet. Hij was in de keuken.

Misschien wilde hij het niet horen. De tranen sprongen in mijn ogen. Ik hield me goed. Niemand hoefde het te zien, dat van mijn verdriet. Ik keek van die jonge vrouw naar de door haar vurig gewenste kast. Mijn kast. Ons meubelstuk dat hier jaar na jaar heeft gestaan, stille getuige van onze gesprekken. Twee keer per jaar heb ik het glanzende hout in de was gezet, met zachte doek opgewreven tot het begon te spiegelen. Ik zag mijn eigen gezicht erin, wazig, maar toch.

Het was zoals je je eigen gelaat ziet teruggekaatst door het water. Een gezicht in de diepte. In mijn kast stonden de glazen, allemaal stralend kristal. Kelkvormige wijnglazen, de kleinere glazen voor port en vermout. Het whiskyglas robuuster met zware bodem. De slanke champagneglazen waarmee we geluk beklonken. Bierglazen afgebiesd met een gouden rand. De glazen voor cognac die in de palm van je hand passen om de drank op te warmen.

Op zomeravonden en winternachten stonden de gevulde glazen op de salontafel. Soms 's middags al, en zondagochtend om elf uur natuurlijk. Begintijd van de sherry. Het lichte waas op het beparelde glas. De bittere smaak, waardoor mijn mond samentrok. Iets wrangs ook. In het oostelijke raam brandde het helle licht van de zon.

Het werd steeds doezeliger in mijn hoofd, toen. Alsof ik zweefde. Het licht golfde om mij heen. Mijn voeten raakten los van de grond. Om mij heen was niets anders dan de wijde wereld. Al de glazen die troostrijk, verdovend, roezig makend ons leven en de momenten van geluk en onheil hebben begeleid, staan in die kast. Ze stralen met kristalhelder licht in het schemerduister. *Wat gebeurde er met haar, ging zij dood, waren dit haar 'honderd dingen'?*

Sprakeloos was ik door het voorstel van die vrouw, de aanwinst van mijn zoon, jong, Karin in de bloei van haar leven. Je kon zien dat haar lichaam veel wilde van dat leven.

Als vrouwen onder elkaar weet je dat. Als moeder kon ik vermoeden wat mijn zoon zocht.

Ik denk er liever niet aan.

Ik weet zeker dat Maarten ontstemd was. 'Als u dood bent...' Misschien wilde hij het niet horen. Je hebt afgedaan als moeder wanneer zonen een nieuwe vrouw vinden. Ze kiezen onvoorwaardelijk voor haar. Waarom denk ik dit? Waar komen die gedachten vandaan? Ik vind ze niet waarachtig. Hinderlijk is die stroom, zigzaggend gaat het, zo zigzaggend in het bitterzoet van mijn stille hoofd waar het net is of iemand met een pen woorden krast op witte bladzijden.

Alsof de bodem onder mijn bestaan werd weggeslagen. Zo kwamen haar woorden aan.

Ik herinner me veel en tegelijk is het zo weinig. Woorden en herinneringen, een kast met drankglazen, dat is alles. Er zijn momenten die ik nooit meer uit mijn geheugen kan verbannen. De toekomst zal altijd in de greep van dat voorbije blijven. Ze zeggen wel eens dat je weg kunt rennen voor de toekomst of dat de toekomst jou inhaalt. Dat klopt niet. Al til ik met een hand mijn jurk op, schuif ik met de andere de schoenen van mijn voeten en ren ik, en ren, ik ren...

... misschien zal ik wel vallen.

Ik ben de verliezer. Met de vrouwen uit de buurt gaat het ook zo. Ze zijn me altijd te snel af. Zeg ik dat ik mijn nieuwe jurk bij Oostvogel heb gekocht, zeggen ze: 'Je moet naar Veldkamp & Verhulst gaan, daar hebben ze een collectie die meer van nu is. Oostvogel is zó ouderwets, vind jezelf ook niet? Veldkamp & Verhulst hebben de laatste collectie. Ze rijden naar Parijs om aankopen te doen en ideeën te vinden.'

Meewarige blikken op mijn pasgekochte jurk die de kleur van cyclaam heeft, mijn lievelingskleur. Ik schikte de kraag van mijn blouse. Wist niet waar ik mijn handen moest laten.

Ze zijn me altijd te snel af. Ik heb ze niets gedaan. Als ik Jojanneke had gevolgd, dan was dat niet gebeurd.

Jojanneke noemde zich Valéry en ik werd jaloers op haar leven. Ik had de moed niet.

Soms is het of ik slaapwandel. Het is klaarlichte dag en de hemel is blauw, tegen lichtgrijs aan. Ik slaapwandel door een woud van stemmen die zich verschuilen achter de bomen.

Maar buiten is het stil. Het zou maandag kunnen zijn, of een namiddag op donderdag. Misschien is het ochtend en elf uur.

Ik word ouder, dat weet ik, ik heb ook steeds meer vragen. Dat is een ongelukkige samenloop:

oud worden en over zoveel onopgeloste raadsels moeten nadenken. Ik had zoveel verwachtingen en nu zit ik hier, in een huis dat ik in tijden niet heb verlaten. Net of ik ben opgesloten.

De man geeft mij een hand. Hij zegt dat hij een portret van mij gaat maken. Ik versta dat hij Philip heet, Philip Bisschop. Hij is scheppend schilder. Zoals hij naar me kijkt, is het alsof hij naar me lonkt.

Ik verbeeld me dat, natuurlijk.

'Dag mevrouw, ik heb de eer een portret van u te maken. U zit daar prachtig in uw stoel met het licht van opzij. Misschien moeten we u toch iets bijdraaien, zodat het licht ook op uw ene schouder valt. Zoiets geeft diepte.' Hij heeft een stem die vertrouwen geeft, als van een dokter.

'Draagt u sieraden?' vraagt de scheppende man.

'Soms, nu wel. Kijk maar,' hoor ik mijn stem antwoorden. Ik wijs ernaar. 'Oorbellen...'

'Ik zie ze niet.'

'Ja, ik heb ze vanochtend uitgezocht... Ben ik ze soms verloren?'

Meisjesnacht

De scheppende man zegt: 'U draagt kostbare oorbellen. Ze hebben de glans van paarlemoer met in het midden een gouden, stervormige schitter. Ze zijn met zwart afgebiesd. U bent ze niet verloren, ze zijn weer gevonden. Ik zal ze voorgoed als een sieraad van uw gezicht schilderen.'

Ik vraag me af of Philip Bisschop een bekende van ons is. Hoe komt hij anders het huis zomaar binnen? Nu ik deze stem hoor, klinkt die als in een droom. Zacht. Mijn man praat hard tegen me, en hij zegt dat het is omdat ik slechthorend ben. Ik geloof het niet. De ochtend was lang donker, maar nu is de duisternis verdwenen, de nacht voorbij.

'Zwart op zwart,' zei mijn moeder als het donker werd in huis en de lampen uitgingen.

Ik heb altijd gedacht dat mijn man van me hield. Nu laat hij me hier achter. Maar de vreemde man is niet langer vreemd, dat stelt me gerust.

Buiten is de ochtend bewolkt geweest, maar de laatste uren is het gaan waaien.

'Nu is deze kamer net mijn atelier,' zegt de man. 'Alleen de ramen liggen verkeerd, die moeten naar het noorden gericht zijn.'

'Ik ben blij met het licht dat door de ramen valt,' antwoord ik. 'Nu kun je tenminste goed zien dat er soms evenveel wolken aan de hemel zijn als stukken blauw. Ik houd van uitzicht.'

'Draagt u altijd cyclaam...?'

'Rood, ja.' Ik aarzel. 'Cyclaam, nooit.' Na een korte stilte vraagt mijn stem aan de scheppende man: 'U schildert toch niet zwart op zwart?'

Hij lacht. Ik straal. Ik heb de man aan het lachen gemaakt. Het is lang geleden dat hier in deze woonkamer met de ramen die uitkijken op het verkeerde licht iemand heeft gelachen.

Het klinkt luider dan ik had verwacht. Ik krimp ineen.

'Ontspan u,' zegt de schilder. 'U trekt uw schouders op.'

Hij heeft gelijk. Door mijn schouderbladen trekt een pijnscheut, het is net of mijn spieren harder worden.

Nu pas hoor ik het geluid waarmee de kwasten over het linnen strijken. Ik moet mijn gezicht wat die kant op draaien.

'Scheppend kunstenaar...,' zeg ik meer dan ik vraag. En: 'Hoe gaat zoiets?'

Ik probeer hem aan te kijken maar zijn gezicht gaat schuil achter een groot, rechthoekig vlak. Zo is het gegaan, zo is het begonnen, nu besef ik het allemaal goed: hij heeft het toestel met de drie poten op ongeveer drie meter afstand van mij neergezet. Uit de platte kist haalde hij een stuk linnen tevoorschijn, dat hij spande op een houten raamwerk. Met klemmen zette hij het vast, net een soort grote knijpers.

Hij nam plaats op een kruk en verstelde nog een paar keer de hoogte van het toestel, dat hij 'een ezel' noemde.

Ik ken dat woord natuurlijk wel, maar ik luisterde geïnteresseerd en hield daarbij mijn hoofd wat scheef. Belangstelling tonen is een voorwaarde om helder van geest te blijven, zo is me eens gezegd.

Plots zegt de scheppende man: 'Dat staat u mooi, zo, uw hoofd...' Meteen zet hij een paar streken op het doek.

Ik voel me erg door hem bekeken, geflatteerd. Zijn manier van kijken is anders dan ik gewend ben. Vroeger konden mannen gulzig kijken naar ons, meisjes met rode lippen en haarlokken, alsof wij een soort vruchten waren waarin ze hun tanden wilden zetten, en wij, meisjes, wilden ook wel graag dat mannen in ons zouden bijten. Ze keken naar ons, zoals een man kijkt die samen met een mooie jonge, nieuwe vrouw een hotel binnenloopt, ik heb dat een paar keer gezien op reis met mijn man door Frankrijk bijvoorbeeld, waar de hotels langs de kust wit zijn met blauwe luiken en wenkende façades.

Mij ontgaat niets. Mijn ogen zijn nog steeds van mij.

Soms kwam ik later in mijn leven wel eens een jongen tegen die ik nog ken van vroeger, van die tijd dat jongens hun ogen over mij heen lieten glijden, je kon de gloed van hun blik voelen. Vreemd dat het altijd warme avonden zijn die ik me herinner. Avonden om uit dansen te gaan. Met Elron bijvoorbeeld. Toevallige, korte ontmoetingen waarvan het leek of die door iemand geënsceneerd zijn, als een toneelstuk. Maar ik zou niet weten door wie.

'Ja, hoe komt dat zo, een scheppend kunstenaar worden?' herhaalt Bisschop mijn vraag.

Juist op dat moment schuift een wolk weg voor de zon en valt er een bijna horizontale baan licht de kamer binnen. Het is of de hemel een ingeving krijgt. Ik moet met mijn ogen knipperen. Ik draag al tijden geen zonnebril meer, ik zal eens aan mijn man vragen waar mijn bril is gebleven, ik had er een met zwartblauwe glazen en een montuur dat iets weg had van een vlinder, zo zagen zonnebrillen er in mijn tijd uit.

'Als kind kon ik goed tekenen op school,' antwoordt Bisschop. Mijn man brengt koffie. We kijken elkaar aan, Bisschop en ik, en wachten even tot hij is verdwenen. Het was een korte blikwisseling, alsof we elkaar iets betekenisvols wilden laten weten. Iets bliksemt in de lucht.

Als kind... Een moeder heeft een kind en vanaf dat ogenblik krijgt zij een geheugen dat niet meer van haar is, een ander geheugen, net of het geheugen van haar kind samen gaat vallen met haar geheugen, een nieuw geheugen groeit in haar.

Wanneer een zoon of dochter als kind iets wil, dan zal hij of zij dat altijd bereiken. Een kind dat voor het eerst vogels hoog aan de hemel ziet of verliefd is op het witte zeil dat scheert over het water, blijft altijd vogels zoeken en gaat op een dag uit zeilen om misschien nooit weer te keren.

Een goede moeder weet dat.

'... en omdat ik goed tekende, wilde ik eigenlijk niets anders. Rekenen, taal of geschiedenis gingen aan me voorbij, ik zag altijd tekeningen voor me.

Het begon met bergen en wolken daarboven, huizen, de brandende zon, golven van de zee op het strand... Wij waren niet rijk. Ik stond als klein jongetje altijd door de ruit naar binnen te turen van een winkel met schilderspullen, tekenpapier, potloden, penselen, verftubes. Met wat daar te koop lag, kon je nieuwe werelden maken.' Stilte. 'Net zoals ik nu doe, met uw gezicht. Ik maak u nieuw.'

Soms klinken zijn woorden zacht en van ver, dan is het net of hij aan de andere kant van de kamer staat.

Ik zeg: 'Kinderen tekenen altijd op dezelfde manier huizen. Al hebben ze nooit een echt huis gezien en zijn ze opgegroeid in de stad, ze tekenen een woning die alleen staat met bomen eromheen, een schommel in de tuin, vader en moeder, een vlieger boven het dak, de zon...'

Ik luister verbaasd naar mijn stem. Ik weet het allemaal nog en niemand neemt me af wat ik nog weet, alles wat ik weet zit in mijn hoofd en soms komt het opeens naar buiten, omdat er iemand is die naar me kijkt en luistert, iemand die zegt dat hij een scheppende man is.

Zou hij, die zich een schepper noemt, alles van mij weten?

Ben ik een open boek?

Stemmen spreken in mijn hoofd. Pennen schrijven op witte bladzijden, die open in mijn hoofd liggen, dan vouw ik ze dicht en stuur de gevouwen brieven de wereld in.

Als ik me dat goed herinner, zaten mijn man en ik eens hoog op een heuvel met onze rug tegen een boom in de ondergaande zon, een beetje achterovergeleund, zoals ik nu zit. We keken uit op een bosrand, waarboven de zon nog net te zien was en volop kleuren – rood, lila, oranje – om zich heen verzamelde. Verderop lag een kasteel. We waren teruggekeerd van de Franse kust het binnenland in. Diep beneden ons stroomde een brede rivier, 'de laatste wilde rivier' hoorde ik mijn man zeggen.

Ik probeerde recht voor me uit te turen, voelde hoe mijn man naar me keek. Niet liefdevol. Hij beoordeelde me op bijna bestraffende manier, zoals je naar een kind kijkt dat zojuist zonder omkijken de straat overstak.

Hij keek naar me zoals mannen naar hun eigen, niet meer zo jonge vrouw kijken wanneer prachtige meiden, schoonheden met bloeiende lichamen, het blikveld van de man binnendringen.

Ik word niet graag afgedankt.

Het was of ik mijn ogen schroeide aan de ondergaande zon. Eerder die middag, op het terras waar we Franse wijn dronken, Frans brood aten, had mijn man me verteld dat hij een keer met Maarten aan de rand van een zwembad had gezeten, hier in de stad. Drie jonge vrouwen, van wie een Maartens juffrouw was geweest op de lagere school, kwamen naar de kant gezwommen en hielden zich vast aan de reling. De ene vrouw vroeg iets aan Maarten, de andere twee waren haar vriendinnen. Zonlicht ketste op het water. Het fluitje van de badmeester snerpte. De stemmen van roepende kinderen klonken in de verte. En mijn man keek omlaag naar de drie vrouwen in diep uitgesneden bikini. Op hun volle borsten lagen waterdruppels. Hun gladde huid glansde van de zonnebrandolie. Er is weinig fantasie voor nodig om me voor te stellen hoe die zeemeerminnen daar voor de ogen van mijn man in het water zweefden, hun benen af en toe loom uit elkaar schoppend.

Vrouwen weten heel goed wat ze moeten doen om een man te behagen. Op die zomerse dag was ik thuis, zorgde voor de kleinste.

Ik werd na die bekentenis op het terras steeds ongelukkiger. Ik weet zeker dat mijn man niet besefte wat zijn woorden aanrichtten. 'De borsten van die vrouwen met slierten nat haar eroverheen achtervolgen me nog altijd,' zo zei mijn man het.

Keek ik in die tijd in de spiegel, dan vond ik mezelf jong.

Opeens werd ik in Frankrijk jaren ouder. De huid van mijn gezicht heb ik met crèmes en balsem lenig gehouden, jong en zacht.

Als ik in die zomer aan de toekomst dacht, aan de vele jaren die zouden volgen, werd het me vreemd te moede. Alsof alles buiten mijn bereik lag; het verleden raakte verduisterd, in de toekomst was voor mij geen plaats meer.

'...die vrouwen achtervolgen me nog altijd.'

Nu zijn de jaren die me toen beklemden voorbij. Ik ben voor niets bang geweest. 'Voltooid verleden toekomende tijd,' noemde mijn oudste zoon dit een keer. Ik richtte mijn hoofd op, verwonderd. Maarten is goed in talen. Hij heeft ervoor gestudeerd. De een tekent, de ander munt uit in lezen, dichten, schrijven.

Als dertienjarige las Maarten verzen en als moeder verwonderde mij dat, een zoon die poëzie leest, misschien zelfs schrijft. Was hij naar school gegaan, dan sloeg ik de boeken open waarin hij de avond ervoor had gelezen. 'Zouden wij op deze wereld niets dan pennen zijn met inkt/Waarmee iemand waarachtig schrijft wat wij hier krassen...?'

Mijn zoon legde het ook uit, van dat 'voltooid verleden' en tegelijk 'toekomstige tijd'. Ik raakte eerst in de war. 'Dat hoeft niet,' zei hij. En: 'Luister maar eens.' Het begon met een verhaal van twee jongens die naar Parijs wilden gaan. Dat was vroeger. Lang geleden dus besloten zij dat ze naar Parijs zouden gaan. Dat deden ze. Dus: de jongens wilden drie jaar geleden op maandag naar Parijs gaan en de zaterdag daaropvolgend stapten ze daadwerkelijk in de trein, kwamen diezelfde nacht nog op Gare du Nord aan. Zoiets als de toekomst die in het verleden bewaarheid wordt.

Zeg ik dat goed? Nu twijfel ik.

'U bent een geweldig model,' hoor ik schepper Bisschop zeggen. In de kamer is een vreemde stilte ontstaan, zoals vroeger in de leeszaal van een bibliotheek. Alsof iedereen de adem inhoudt, zijn stem dempt, afwacht of er iets gebeurt.

Mijn man is verdwenen.

'Mag ik niet opstaan en wat rondlopen?' vraag ik. 'Voor mijn idee zit ik al jaren lang vastgebonden aan deze stoel bij het raam, ik lijk wel een oude vrouw die door de vitrage en tussen de kamerplanten door naar buiten staart. Ik ben toch geen oude vrouw?'

De man kijkt naar me met samengeknepen ogen. Hij laat niet merken dat hij me heeft verstaan. Ik mag natuurlijk niet naar het toilet. Mijn man moet me dan altijd helpen, de laatste tijd niet meer. Er is hier een keer een vrouw geweest met een wit schort voor. Ze had een harde, gebiedende stem en stevige armen met rode vlekken. Ik heb tegen mijn man gezegd dat ik haar nooit meer in huis wil hebben. De verpleegster deed me in bad of zette me onder de douche. Het water was veel te koud.

'Dat is goed voor u,' zei ze. Ik weet toch zeker zelf wel wat het beste voor me is. 'Dan gaat uw bloed sneller stromen. Daar wordt uw hoofd helder van, klaart het op.'

Ik vraag me af voor wie het pak luiers is dat ik pas geleden ergens in huis zag staan. Voor mijn kinderen kocht ik nooit luiers, daar kregen ze uitslag van. Ik vouwde zelf een luier van katoen die ik elke dag in heet water uitwaste en buiten aan de lijn te drogen hing. Dat is veel beter. Ik denk dat het wegwerpluiers zijn. Ik houd er niet van aldoor alles weg te gooien. Dat is verkeerd gedacht.

Mijn man zei laatst: 'Morgen komt er een verpleegster.'

'Nee. Dat wil ik niet.'

'Het is een ander... ik bedoel: ze is een andere vrouw.'

'Een andere vrouw? Dan wie?'

'Dan die van vorige week.'

'Ook een andere vrouw wil ik hier niet in mijn huis hebben,' antwoord ik. 'Ze kunnen allemaal wel zeggen dat ze een ander zijn, maar hoe weet ik dat zeker?'

'Je kunt naar haar naam vragen... Deze heette Lidewij.'

Het was of ik eenzaam werd, alsof ik alleen aan het begin van een lege weg stond en tot aan de horizon die weg kon afkijken, en dat er niemand langs de weg stond om me de juiste richting te wijzen, want ik zag dat er ook zijwegen waren die in een scherpe bocht over de horizon verdwenen. Ik houd erg van ruimte om me heen, maar niet van verdwalen.

'Ze kunnen allemaal zeggen dat ze Lidewij heten, of Elsa of Martha. Onverschillig zijn ze allemaal.'

'Stil maar, het komt wel goed.'

'Als ik mij haar gezicht voor de geest wil halen, zie ik telkens andere gezichten.' Ik kijk mijn man aan. Ik zie aan de vragende blik in zijn ogen dat hij me niet begrijpt.

Kennelijk heeft hij er geen last van een gezicht in zijn geheugen niet terug te kunnen vinden. Waarom herinner ik me van die verpleegster alleen haar harde handen, die scherpe knieën, haar harde stem, haar bruuske bewegingen die me pijn deden?

Ik wil graag aan mijn zonen denken op een mooie wijze. Dat ze straks naar huis komen met hun kinderen, mij een boeket bloemen geven. Net als vroeger zal ik koffie schenken en daarna de wijnglazen uit de kast pakken, als ze er tenminste nog staan, de glazen van ons leven, van onze gelukzalige en droeve momenten.

'U bent een scheppende man,' zeg ik tegen Bisschop. 'Mij hoeft u toch niet te scheppen, ik ben er al... Kijk, ik zit tegenover u.'

'U heeft gelijk. Ik herschep u als het ware... U bestaat in het echt, dat klopt. U bent mevrouw Wensiez-Lankhorst...'

'Ik heb een lang leven achter de rug. Julia is mijn voornaam.'

'Wanneer trouwde u en kwam er Wensiez voor uw meisjesnaam?'

'Te lang geleden om het me te herinneren. Drie weken misschien, zeven maanden.' Ik voel dat ik mijn handen samenknijp op de stoelleuning. Het bloed stokt. 'Wat denkt u... zou ik die dag terug kunnen draaien.'

Ik krijg de woorden nauwelijks over mijn lippen. Het klinkt ondankbaar, een leven lang jezelf 'Wensiez' te noemen terwijl je een andere naam hebt. Alsof Lankhorst niet stijlvol genoeg klinkt, geen goede naam is om te dragen. Niet alle namen zijn goed, Lankhorst is dat wel. Het is een goede naam, die ik als kind nooit ingeruild zou willen hebben.

En toch heb ik het gedaan. Mijn moeder heeft het me vergeven, die wilde dat wij, meisjes, dochters, met een bruidsschat als vergoeding een nieuwe naam gingen dragen.

Toen een van mijn zussen van de ene dag op de andere haarzelf voorstelde met een andere naam dan die van Lankhorst, heb ik dat altijd verraad gevonden. Je mag niet zomaar je achternaam verloochenen.

Zo'n verpleegster die Lidewij heet en zich een dag later Martha noemt, dat is tegen elk fatsoen in. Dat zorgt voor verwarring. Martha heeft dezelfde verpleegstershanden als Lidewij. Ook zij draagt een wit jasschort. Ik ben altijd bang voor die blinkende kleur. Alsof iemand een deur in je gezicht dichtslaat.

De man die mijn schepper is, vraagt: 'Was het niet de gelukkigste dag van uw leven?'

'Dat weet ik niet meer. Er waren veel mensen. Meisjes strooiden rijst, ze wierpen bloemen over ons heen, handenvol bloemen. We trouwden op Tweede Paasdag. Het was een mooi voorjaar dat jaar, zodat de velden in de kortste tijd in bloei stonden en de meisjes van de dorpen bloemenslingers maakten. Mijn man, in donker uniform, kreeg zo'n slinger omgehangen. De avond ervoor was de laatste meisjesnacht waarop ik alleen was, mijn hart klopte in mijn keel en ik kon niet inslapen. Ik moest die nacht thuis slapen, dat begrijpt u meneer de scheppende man wel, niet? Mijn aanstaande echtgenoot zou me die ochtend komen ophalen met de bruidsstoet... Nu ja, we hadden daar geen geld voor, dus leende hij van een vriend een oud model wagen die hij versierde met strookjes gaas, datzelfde gaas dat de petticoats van de meisjes van die tijd zo wijd deed uitstaan, herinnert u zich zoiets? Hij strikte bloemen aan de autospiegels. Mijn man weet niets van bloemen, wist het niet en zal het nooit weten ook. Hij noemde anemonen dahlia's en kleine lelies heetten bij hem schermbloemen, ereprijs was een viool. Hij zei toen dat hij dahliarood de mooiste kleur vond, maar in de lente zijn er geen dahlia's, dan moet het najaar zijn als de bladeren kleuren... Ik droeg een sneeuwwitte jurk met een lange, zijden sleep en had lange, zwartzijden handschoenen aan, die kwamen tot over mijn elleboog. Mijn bovenarmen lieten een kleine streep bloot zien.'

Terwijl ik mijn stem dit hoor zeggen, bedenk ik me iets.

Ik houd een paar tellen mijn adem in, alsof ik

moed verzamel. 'Ik vraag aan u, schilderende man, zoudt u mij zo opnieuw kunnen herscheppen, niet zoals ik nu ben, maar zoals ik eens was? Jong, lichtgevend. Dat is niet moeilijk voor iemand als u. Uzelf zegt dat u als kind al wilde tekenen, schilderen, iets wilde maken.'

Sprakeloos is hij. Ik wil opstaan om te zien wat hij heeft geschilderd, maar iets verhindert dat. Het is alsof ik vastgebonden ben aan de stoel. Zoiets doet mijn man toch niet. Ik span de spieren in mijn benen, til mijn voet op, draai met mijn enkels om ze los te maken opdat ik in zijn richting kan lopen, door de kamer, naar de tuindeuren desnoods en dan naar buiten, maar er gebeurt niets. Ik staar naar mijn starre benen. Ik gil. Het is of ik aangeraakt word door een vlaag angst, zoiets als een grote zwarte vleugelslag. Nu gil ik niet meer.

En ik kijk hem meteen aan. Hij doet alsof hij niets heeft gemerkt. Ik durf niet nog eens te gillen, dat zou onhoffelijk zijn. Alsof ik de man het huis uit wil jagen.

Net nu, nu hij me verwonderd aankijkt. Hij begrijpt mijn vraag. Hij herschept mij als de prille Julia, het meisje van de Zandslootkade dat elke dag met een vriendin optrok, Jojanneke.

'In het huwelijksalbum zijn foto's, meneer,' zeg ik. 'Daarop ziet u mij zoals ik vroeger was. U heeft vast een scherpe blik, dat moet wel als schilder. Ik zal mijn man eens roepen...'

Schilder Bisschop verbergt zijn hoofd achter het doek op de ezel. Ik buig me opzij en probeer een glimp van hem op te vangen, maar vind hem niet.

Het is alsof hij opgelost is. Dat heb ik altijd het ergste gevonden, dat iemand opeens verdwijnt. Een kind dat nog een keer achterom kijkt, zwaait en lacht, en dan wegglipt om de hoek van de straat. Mijn zonen die me zoenen en gedag zeggen, de voordeur uitgaan achter hun vrouwen en kinderen aan, de deur slaat dicht, ik doe die weer open en zie een lege straat voor me. *Voor de orkestmeester, zoals: 'We'll meet again, don't know where, don't know when'.*

Nadat de deur opnieuw in het slot is gevallen, blijf ik nog lang in de vestibule op de ruwe kokosmat staan, wachtend op het overgaan van de bel. Als ik mijn hoofd heen en weer beweeg, dan zie ik in de gekleurde glas-in-loodruitjes iets bewegen, hoopvol schuif ik de deurgrendel weg. Maar vergeefs.

Opeens weet ik het weer: daar op dat Griekse eiland vond ik die doodstille watervlakte het mooist. Een zwarte, lege spiegel dat water, alsof er een fluwelen doek overheen was gespannen.

Ik vraag het nog eens: 'Hoe gaat zoiets in zijn werk, scheppen, schilderen?'

Ik moet bij hem in het gevlij komen. Ik vraag een gunst van hem. Belangstelling tonen is een geste die nooit teleurstelt of tegenvalt. Dat leerden wij, dochters van een bollenknecht.

'Het is begonnen met geld,' antwoordt hij, 'niet alleen met een kindertekening, ook gewoon geld. Mijn ouders waren arm. In de keukenla vond ik een vergeten biljet van vijf gulden, herinnert u zich dat? Een grijs briefje. Ik legde het op patroonpapier van mijn moeder, dat het meeste lijkt op papiergeld en knipte juist langs de rand. Daarna ben ik drie dagen aan het werk geweest om met potlood, inkt, watermerktekens het biljet te vervalsen. 's Avonds voor het eten zei ik tegen mijn moeder: "Mama, verrassing, ik heb geld verdiend!" Ik haalde het gevouwen bankbiljet tevoorschijn uit mijn achterzak en liet het haar zien. Ze nam het meteen in haar hand, ritselde ermee tussen haar vingers of ze het op echtheid wilde toetsen en riep toen uit: "Kindlief, je hebt echt geld gemaakt... Jij bent mama's geldkist, mijn schatkist... Maak nog meer, dan gaan we ermee ons eigen bankiertje spelen".'

Ja. Ik zou 'ja' willen zeggen, maar weet niet of dat de bedoeling is na zijn verhaal. Ik ben bang iets verkeerds te zeggen. Natuurlijk wilde hij dat zijn moeder geloofde in de echtheid van het geld. Dat hij ermee naar de winkel kon gaan en de rekening betalen. Schuld aflossen.

'U bent zeker geen valsemunter,' zeg ik.

Soms zit mijn hoofd op slot, nu niet. Ik sta versteld dat ik het woord 'valsemunter' weet, ik herinner het me uit een jongensboek van mijn kinderen.

'Nee, alles wat ik maak is echt,' antwoordt hij.

'Maakt u mij dan ook echt... jonger en werkelijker dan ik ooit ben geweest. Mijn tweede leven begint vandaag en u, schilder, moet me daarbij helpen.'

De man vraagt: 'Vertelt u eens over uzelf. Het is nodig dat ik veel van u weet.'

Opeens voel ik dat mijn oogleden zwaar worden. Moeheid valt als een sluier voor mijn gezicht. Ik probeer mijn mond dicht te houden, ik moet daarvoor veel moeite doen. Achter zijn rug staat de kast met glazen. Wijn zal me nu een lichte roes schenken en mijn vermoeidheid wegnemen. Ik moet goed opletten dat hij me niet herschept zoals ik nu ben, zo wil ik niet zijn. Wat zullen mijn zonen en hun kinderen daarvan denken, hun vrouwen? Veel over mijn leven weten...? Mijn nachtelijk dolen? Wat betekent dat? De opdracht hier te poseren is zwaar. Ik verlang naar eenvoudige handelingen, zoals eten koken, naar de markt gaan, strijken, de ramen zemen, zilver poetsen, groente wassen. Strijken maakt me altijd rustig. Het licht-ruisende geluid van het hete ijzer over het frisse, geurende wasgoed, de scherpe vouwen die ik in overhemden pers.

Wanneer is het begonnen dat ik meer en meer in vroeger begon te leven en minder in nu, de hedendaagse tijd? Het is alsof vroeger voltooid is en dat ik daarom er steeds meer aan denk, net zoals je je een boek dat je helemaal hebt uitgelezen beter herinnert dan een boek, waarin je nog aan het lezen bent.

Het onvoltooide zorgt voor verwarring. De lijnen van mijn leven zijn nog niet af, ze vloeien en stromen door. Eigenlijk wil ik nu alleen maar slapen. Ik heb altijd goed kunnen slapen, dat is zeldzaam voor iemand die al wat oud is, ik moet zuinig zijn op mijn gezicht en daarom wil ik graag wegglijden in diepe slaap, nu even.

Vannacht schrok ik wakker en weet niet waarvan. Het was of er boven mijn bed opeens een gezicht verscheen, een groot donker gezicht met brandende ogen en een mond die zich opende en tegen me begon te praten, maar ik kon het niet verstaan, een geruïneerde nacht werpt een donkere schaduw over de dag.

Een van mijn angsten is dat ik de man van vannacht met zijn rafelige jas en zijn dreigende gezicht straks op straat tegen zal komen als ik boodschappen ga doen. Het is al zolang geleden dat ik boodschappen deed, een kilo nieuwe appelen kocht bijvoorbeeld, glimmende appelen die ik dan in partjes sneed voor mijn kinderen. De feloranje kleur van sinaasappels. Verse kroppen sla en de oogst andijvie, bedauwd nog, zo van het land. De gladde huid van tomaten, hagelwitte bloemkool, boswortelen, de geur van vers gesneden prei, nieuwe kersen, kersenbloed aan je vingertoppen, aardbeien.

Toch, toen ik een keer terugkwam van de markt, verdwaalde ik. Dat was me nooit eerder overkomen. Opeens wist ik niet waar ik was. Ik liep in cirkels, doolde rond door straten die ik niet kende en kwam elke keer terug in dezelfde straten. De Zandslootkade was anders; die liep lijnrecht.

Als hier vroeger bezoek kwam, legde ik feilloos de weg uit. Komend uit het westen ga je aan het dorp Wierden voorbij, daarna steek je het kanaal over, het Twentekanaal, de brug is hoog, net de gebogen rug van een kat, zoals mijn zoon Maarten een keer zei, de jongen van de taal en de onvoltooid verleden toekomende tijd, vervolg de weg, aan je rechterhand ligt een landgoed, Huize Bellinckhof, het is omsloten door hoge, donkere beukenbomen en er ligt een vijverpartij voor, dan sla je linksaf en vervolgt de weg naar Vriezenveen. Langs de liniaalrechte weg staan bomen. Goed opletten, halverwege begint een verdekt aangelegde, smalle rijstrook, een soort smalle poort tussen de bomen, die naar ons buurtschap voert, Mariënlo. Er staat een kerk met een spitse toren in het midden. Ons huis is witgeschilderd, begroeid met klimop die in de herfst rood kleurt. Ik heb altijd veel van de herfst gehouden, als de tooi van het huis vuurrood was en er spinnen voor het raam zweefden die hun webben maakten...

Stokt daar mijn stem?

Ik kijk de schilder vragend aan.

Hij begrijpt mijn verbaasde blik niet, ik lees het in zijn ogen. Verstaat hij me? Ik span mijn stembanden, haal diep adem, mijn hart klopt in mijn keel, ik ga hem van mijn leven vertellen als meisje in de bollenstreek en over de moeder die ik geweest ben voor mijn kinderen, de schoonmoeder voor schoondochters die mij altijd vreemd zijn gebleven, waren het mijn dochters toch, zouden het mijn eigen kinderen geweest zijn, dan had ik ze niet zo hardvochtig de rug toegekeerd als ik wel eens gedaan heb...

Ik moet Maarten en Karin vragen of ze mij willen vergeven dat ik de verjaardagen van hun kinderen ben vergeten.

Ik ga Johan en Elske vanavond opzoeken, ze wonen hier niet ver vandaan, denk ik. Ik wil met ze praten en vragen waarom ik ze zo lang niet heb gezien, heb ik iets verkeerd gedaan, ben ik niet goed voor hen geweest? En hoe heet de geliefde van Kasper?

Ik moet mijn zin hernemen en de woorden terugvinden, waar ik ben gebleven... over spinnen die voor het raam zweven en hun webben weven in het herfstgouden seizoen dat over dit huis heerst.

'Schilderen is anders leren kijken naar de wereld om je heen,' zegt Bisschop. 'Ik kijk naar u en zie niet één maar twee, misschien wel drie gezichten.'

'Hoe ver bent u eigenlijk met het portret?'

'Ik ben begonnen met de ondergrond, die is nu klaar. Daarna breng ik de contouren aan. Het is een gewoonte in gegoede families om van ouders en voorouders, en soms van hun kinderen, een portrettengalerij samen te stellen.'

'Oh.'

Plotseling ben ik over mijn vermoeidheid heen. Ik kijk naar het penseel in zijn handen.

Hij vervolgt: 'Ik heb al heel wat portretten gemaakt, soms wel dertig of veertig per jaar. Elke keer is anders. Kinderen zijn het moeilijkst, want die moet je dwingen stil te zitten. Dat kunnen ze moeilijk. Ze houden het hoofd roerloos, maar wiebelen met hun benen of gaan telkens anders zitten. Dat leidt af.'

'En ik?'

'... van kinderen maak ik soms een paar foto's die ik thuis naschilder.'

'Heeft u foto's van mij gemaakt, nee hè, daar heb ik niets van gemerkt. Dat zou ik niet goedgekeurd hebben, foto's van iemand maken is zijn of haar ziel stelen.'

'Schilderen, is dat anders?'

'Ik weet zeker dat u me mijn ziel terug hebt gegeven als het portret eenmaal klaar is.'

'Misschien vindt u het helemaal niet gelijkend?'

'Meneer,' fluister ik, 'meneer, het is al lang geleden dat ik mijn gezicht in de spiegel heb gezien. Weet u hoe dat komt...?'

Stilte. Bisschop draait de kwast rond in zijn hand, beweeglijk en snel. Ik kijk naar de punt ervan, die cyclaamrood is gekleurd. De haren van het penseel zien eruit als wimperharen; zo zacht zijn ze. Hij kan er fijne lijnen mee trekken. Met die wimperharen schildert hij mijn wenkbrauwen en ook mijn wimpers. Met cyclaam schildert hij mijn kleren. Als hij met die rode verf strepen en vegen zou trekken, dan zou je die strepen niet kunnen onderscheiden van de echte stof.

Op het portret draag ik geschilderde stof die Bisschop eruit wil laten zien alsof het echt is.

Eronder een witte blouse.

'Er zijn schilders die het gelijke willen nastreven en schilders die dat helemaal niet willen. Die maken van uw gezicht bijvoorbeeld een vierkant met twee holtes erin als de ogen of ze schilderen uw gezicht van voren en tegelijkertijd van opzij. Dan heeft u twee verschillende gezichten,' vertelt de scheppende man tegenover me.

Ik kan me niet herinneren zo lang zo stil gezeten te hebben, al weet ik dat mijn man wel eens hier rondliep met touwen en andere banden in zijn hand.

Ik vertoonde vluchtgedrag.

Zou van huis weg kunnen lopen. De straat op, een hoek om, een steegje in, de grens van het stadje over, de bosrand voorbij, het donkere woud in dat Mariënlo al sinds mensenheugenis omsluit. Ik moet mijn man vragen hoe lang we hier al wonen. Ik herinner me nog onze aankomst hier, de verhuiswagen voor het lege huis dat langzaam gevuld raakte met onze bezittingen, kasten en meubels, slaapkamergerei en keukenspullen, maar in welk jaar het was, dat is me ontglipt, al zoek ik ernaar in mijn hoofd. Het was een vroege ochtend in maart, nog guur en koud, het had evengoed november of december kunnen zijn. De jaargetijden in dit land: je raakt de richting kwijt, je kunt er geen peil op trekken. Herfstbladeren waaien door de zomerhemel. Sneeuwvlokken dansen in de lente. *Voor de orkestmeester, zoals: 'Sometimes it snows in April', een nachtlied door Prince.* De klok slaat op tilt.

Kinderen die geboren moeten worden, gaan dood in je buik.

's Nachts regenbogen aan de hemel. Vogels die onder water vliegen. Mijn gezin is niet volledig, een meisje ontbreekt. Sterren die miljoenen jaren geleden gedoofd zijn, vallen vol schitter omlaag. Ikzelf heb een engeltje laten maken. Spijt verscheurt mijn hart. Is er ooit een kindergrafje geweest? Grafjes...

Een keer ben ik met mijn man naar een huis geweest dat hij een 'verzorgingstehuis' noemde op zoek naar 'dagopvang'.

Dat huis, Lindelaan, is gelegen aan de weg tussen Mariënlo en Vriezenveen. Ik zie het nog voor me: opgetrokken uit donker baksteen, een erker met door witte kozijnen omlijste ramen, de toegangsdeur was spiegelend glad gelakt, koperen bel die mijn man twee keer liet overgaan. Het schelle geluid weerkaatste achter de zware voordeur diep in de hal van het oude huis. De vloer van de hoge gang was van glad marmer.

Binnen rook het naar vergeten, oude mensen, naar alles wat voorbij is gegaan. De geur van gestoofde kool, verwelkte chrysanten. Mensen die nooit meer bezoek ontvangen van hun kinderen. Ze zijn verlaten door alles en iedereen. Hun ogen staan leeg, staren in de verte.

Hier hoor ik niet.

Mijn woorden moeten doordringen tot mijn man.

'Hier hoor ik niet.' Vreemd dat ik alles altijd twee keer moet zeggen. Alsof ze me niet verstaan, alsof ik een andere taal spreek, een taal uit een vreemd en ver land waar niemand ooit geweest is, zelfs ik niet. Ik moet hard praten.

Ik ben mijn woorden in den vreemde verloren. Taal is mij ontschoten. Straks besta ik alleen als schilderij. Begrijpt mijn man zo'n mooie zin van me, of een vrouw in wit jasschort die zich verpleegster noemt?

En: 'Ik heb geen verzorging nodig.'

Ik vond mijn stem dwingend klinken, mijn eigen stem vol aanval en weerstand, dat had ik liever niet gewild, mijn man bedoelt het goed, net als mijn kinderen, ze hebben het goede met me voor, maar ze vergeten wie ik ben, ze vergeten dat ik een eigen wil heb, ze vergeten dat een moeder ook kan heersen over het leven dat ze verwacht. Van de vijf kinderen zijn er drie in leven. Dat is een mooi gemiddelde. In de tijd waarin mijn ouders opgroeiden, waren de bestaansomstandigheden harder en wreder, de kindersterfte hoger. Verloor je kinderen aan ziekte of joegen de ouders hen de zee op, de boten waren wrakken.

Ik heb het goed gedaan. Maar vlagen van spijt verstikken me, soms, op onverwachte momenten komt het. Een zwarte vleugelslag.

Over een eigen wil gesproken. Mijn man hield op een keer een vel papier voor me. Ik kon de tekst niet lezen, maar wist heel goed wat er stond. Of ik erin wilde toestemmen dat ik in Huize Lindelaan werd opgenomen voor dag- en nachtverblijf, dagbehandeling en nachtrust, dus voor altijd daar opgesloten.

Ik hoefde alleen maar een kruisje te zetten want mijn man dacht dat ik mijn naam niet meer kon schrijven.

Ik heb 'nee' geschud.

Die dag van de dagopvang zag ik een vrouw zitten die was vastgebonden aan haar stoel, een 'klemstoel' heette dat. Rondom haar benen, vlak boven de enkels, was een touw geslagen in niet te strakke lussen, waardoor ze wel haar voeten kon bewegen maar niet opstaan. Haar armen lagen op de stoelleuning. Ik zag dat die ook omwikkeld waren met een stuk touw. Het was een stoel als, ja, een dwangbuis. Daarvan weet ik nog dat de mouwen op je rug waren samengebonden.

Dat is een gewoonte van vroeger. Toen kinderen die gek waren niet zomaar vrij over straat mochten lopen. Sinds ik die stoel heb gezien, kan ik de gedachte niet van me afzetten dat ook ik gevangen ben.

De schilderende man vraagt mijn aandacht. Hij wenkt me met zijn vrije hand. Zijn gezicht komt tevoorschijn boven het doek uit.

'Ik wil graag even uw ogen zien,' zegt hij.

Op het ovaalvormige palet heeft hij kleuren bij elkaar gebracht. Wit en zwart en rood en blauw en cyclaam. In het midden mengt hij ze. Als hij het penseel eerst in wit doopt, daarna in zwart, dan krijgt hij een grijze tint waarmee hij de contouren van mijn schouders afbakent.

Het is vreemd: als hij aan mijn haar of ogen, lippen of schouders werkt, dan voel ik aan mijn lichaam waar op het doek zijn penseel strijkt. Mijn lichaam op het schilderij heeft zintuigen en zenuwen. Het is of ik dit lichaam heb verlaten en overgestapt ben naar die materie van gespannen linnen, olieverf, spielatten. Ik word gewichtloos, doorschijnend, ik voel nu niet meer de zwaarte van mijn hoofd en mijn voeten, die mij zo vaak als een ankersteen in de diepte trekken.

'Komt u uit deze buurt?' vraag ik.

'Ja. Ik heb u zelfs gekend als jonge vrouw, ik zag u wel eens over straat lopen... u was in gezelschap van een vriendin...'

Hij spreekt zacht, zodat ik zijn laatste woorden nauwelijks kan verstaan. Hij houdt zich in.

Waaraan ik nu plotseling moet denken. Jojanneke die Valéry werd, heeft ooit eens model gestaan. Ik was het vergeten, nu niet, ik hoor het zachte geruis van de kwasten op het doek. De blik waarmee een schilder kijkt naar een model, is een andere blik dan die van alledag. Bisschop kijkt niet door me heen, zoals mijn man mij ziet en tegelijk niet ziet. Ik moet onder zijn handen herleven, als een drenkeling die wordt gered. Ik lever mij uit. Mijn schouders zijn niet langer die van mij. Mijn handen gaan in zijn handen over, mijn ogen krijgen zijn licht, mijn hartenklop wordt die van hem. Zo verdwijn ik uit mezelf; ik kijk naar mijzelf met zijn ogen.

Jojanneke verdiende veel geld. Dat zei ze me. Van dat geld kocht ze dure jurken, waarmee ze de mannen won. Deze mannen namen haar mee in een geheime wereld van chic.

Ik niet. Ik denk dat mijn man de schilder betaalt. Al weet ik niet hoeveel.

Ik heb een vraag en zal die aan meneer stellen: 'Ik had vroeger een vriendin die geld verdiende omdat zij model stond.'

'Ja, dat kan.'

'Maar u betaalt mij niet?'

'Nee.'

Er valt een stilte. Er trekt een korte trilling over zijn gezicht, alsof ik hem betrap op iets, maar ik weet niet waarom hij zo terughoudend is opeens.

Is het verlegenheid?

'Uw vriendin was toen misschien veel jonger dan u nu bent?'

'Ja,' antwoord ik bijna gretig. 'Ze was een mooie, jonge vrouw.'

'Toonde ze zich als naaktmodel misschien?' vraagt hij aarzelend.

Ik schrik op. Ik word warm. Bloed vliegt naar mijn hals. Mijn kleren zitten plotseling nauwsluitend. De stof sluit me in. De knoopjes van mijn blouse drukken in mijn huid. De ceintuur wringt zich strak om mijn middel. Er ligt een beklemming op mijn borst. Ik zou wel een kreet willen slaken, een harde schreeuw die weerkaatst tegen de muren, die dwars door het raam naar buiten schalt, naar de ruimte waar de vogels zingen en vliegen.

Er is iets met mijn ondergoed. Ik hoop niet dat de man het merkt.

'Nee, ze droeg altijd elegante jurken.'

Is dit een passend antwoord? Een naaktmodel dat mooie jurken draagt... Ik kan de herinnering aan Valéry niet van me afzetten.

'Kwam zij uit deze buurt?' vraagt de man.

'Ja. U zou haar gekend kunnen hebben,' zeg ik op vlakke toon. 'U zou haar in een voltooid verleden tijd ontmoet kunnen hebben. Het is lang geleden dat ik haar voor het laatst heb gezien, al zo lang, dat ik de tel van de jaren kwijt ben.'

'Hoe heette uw vriendin?' vraagt de scheppende man na een lange stilte.

Ik zie aan zijn gezicht dat hij de vraag zo achteloos mogelijk wil stellen, alsof de vrouw maar zijdelings zijn belangstelling heeft.

Ook zij zal nu oud zijn, vergeten door alle minnaars van vroeger, de mannen kijken haar niet na in de straat, de mannen kijken nu naar de jonge vrouwen zoals wij destijds waren, een tijd van suikerspin en petticoats, de eerste lipstick die we kochten, mascara, schoenen met naaldhakken, naadkousen droegen we en dan keken we naar elkaars achterbenen om te zien of de lijn strak en recht liep en opwindend onder onze nauwsluitende rokken verdween, dat we de eerste glazen witte wijn dronken, of rosé, de oorlog was voorbij en we dansten op muziek uit Amerika en Frankrijk, muziek van donkere mannen die op zilverblinkende instrumenten speelden en meisjes die zongen met zoete, fluisterende stemmen, ik zou een paar seconden van deze wereld willen zijn om dat nog een keer mee te maken, het begin van een nieuw leven dat voorbij is, zoals wanneer je begint te huilen en het begin van tranen achter je ogen voelt, tegelijk ook dat de sensatie van het huilen niet nieuw is, je hebt al zo vaak eerder in je leven gehuild, in stilte of luid, gehuild bij de dood van mijn broers en moeder, gehuild op het bruidsfeest van mijn oudste zoon en na het huilen was alles volkomen blank en doorzichtig, de hemel ver weg, een kleur blauw die de scheppende man vast wil schilderen, blauw als van de hemel wanneer een wolkeloze dag overgaat in de avond, dat ik niet zou weten hoe ik heet, zwevend in een naamloze wereld, tot ik verf word en een penseel mij vindt en ik verschijn op het doek, onder de hoede van de schepper, een man die net is gekomen en er morgenochtend weer zal zijn, hij brengt me het licht van de vroege morgen, daarna ga ik slapen, slapen, mijn ogen dichtdoen en wegglijden alsof ik nooit eerder in mijn leven geslapen heb, hij laat me toch leven – voor altijd, hij is mijn schepper.

Natuurlijk had ik moeten begrijpen dat er iets bijzonders aan de hand was, de ochtend dat deze man is gekomen. Het was net of ik in een andere kamer terechtkwam. Er hing een stilte die ik niet kende. Het was alsof het zo had moeten zijn – dat hij kwam om mij te schilderen.

Ook deed mijn man vreemder, hij was gespannen. Of hij iets in zijn schild voerde. Ik vind de schilderende man een welkome afwisseling. Hij tilt me op, maakt me licht. Soms ontwaak ik in een stille, witte wereld waarin ik als een slaapwandelaar ronddwaal, dan doezel ik weg, ik ben in een wereld van bomen en vogels die tussen de bladeren ritselen en als ik dan opnieuw wakker word, is er daar het harde licht dat door de kieren tussen de gordijnen binnenvalt. Het is alsof er pianomuziek in huis klinkt. Een van mijn zonen speelde. In dit huis klonk altijd muziek. Zoveel verschillende stijlen en instrumenten; violen en piano, liederen, razendsnelle muziek door koperen blazers die een vreemde naam heeft, waar ik nu niet op kan komen. Muziek schuilt in elke seconde van mijn leven, waarom is het nu dan zo stil in mijn hoofd?

'Ze heet Jojanneke, maar opeens noemde ze zich "Valéry". Ik weet niet waarom, ze wilde doen alsof ze een andere vrouw was en een nieuw leven leidde,' zeg ik. Ik hoor dat mijn stem overtuigingskracht heeft. 'Als een toneelspeelster bedacht ze telkens een nieuwe naam en wisselde ze van jurk...'

De dag duurt lang, merk ik; mijn oogleden vallen telkens toe. Het kost me moeite stil te zitten. Straks vraagt mijn man me hoe ik mijn dag heb doorgebracht.

Bisschop kijkt me aan met ogen, waarin plotseling iets vurigs is te lezen. Zijn schilderende hand stokt, het scheppen is toch niet afgelopen? Ik wil zien hoe ik leef als verstilde gestalte in verf, kleur en vorm.

'Misschien...,' begint hij weifelend. 'Het zou kunnen dat ik uw vriendin zo heb gezien, zonder jurk, dat ze slechts een handdoek of een doorschijnende sluier om zich had heen geslagen... Ik herinner me dat mijn wangen rood en gloeiend werden. Het was op school tijdens een schilderklas. Avondles modeltekenen. Wij zaten al in de klas, vooral jongens, een enkel meisje, we wilden de kunsten in... Ik was zeventien, bijna achttien. We zaten achter tekentafels. Op een verhoging stond een stoel, daarnaast een soort zuil, zo'n Griekse zuil, half gebroken. In de deuropening verscheen een vrouw die me even de adem benam... Uw vriendin, dus. Het bloed joeg door me heen. Ze droeg een wikkeldoek, zoals vrouwen aan zee of in het zwembad als ze hun lichaam niet aan iedereen willen tonen. Ze ging op de stoel zitten, wikkelde het kleed los, sloeg haar benen over elkaar... draaide zich om, haar rug was betoverend... Wij moesten haar rug met zwart krijt natekenen. De welving van haar schouderbladen, de lijn van haar rug, de smalheid van haar heupen. De sluier viel als een draperie over haar onderrug.' Na een stilte fluisterde hij bijna: 'Een volmaakte verschijning.'

Al verspreidt de moeheid zich door mijn lichaam, ik veer op, mijn stem klinkt alsof ik zing: 'De eerste minuten tekenden jullie helemaal niet. Het was doodstil in het lokaal. Ze heeft me alles verteld. Jullie schuchterheid vond ze heerlijk, ze genoot ervan dat jullie ogen over haar lichaam gleden, naar iets zochten... Zeg eens eerlijk: waarom is jong zijn voorwaarde voor een model? Al het jonge doet ons, oude mensen, pijn.'

Bisschop, die mij niet langer herschept, verliest

zich in de vroegere Valéry: 'Ik raakte in wanhoop... van afstand proefde je op je vingertoppen de zachtheid van haar huid, kon ik die maar schilderen. Als je haar mocht aanraken, zou je niet weten waar dat zachte zou beginnen, alsof je een wolk aanraakt.'

'Ik weet het allemaal.'

'God weet waarom wij, jonge jongens, zo kapot van haar waren,' zegt Philip. Hij was weer de jongen van destijds met een hoofd vol jongensdromen en een hart vol jongensfantasieën. 'Het ergste was dat je haar lichaam niet aan kon raken, dat wilden we natuurlijk, we zaten op afstand en lieten onze ogen over haar heen dwalen, dat moest ook, we mochten kijken naar haar verschijning, want zonder te kijken kun je niet schilderen.'

Het is of ik wankel aan de rand van een afgrond. Onder de hemel zie ik vogels hun vleugels reppen alsof ze mijn verwanten zijn.

'Draaide ze zich niet om...?' Ik merk dat ik de vraag stel met spanning in mijn stem. Vreemde man, die schepper, dat hij denkt iets te hebben beleefd, waarvoor hij veel woorden nodig heeft om het mij uit te leggen. Ik weet het allemaal, alsof ik erbij ben geweest.

Mijn man vertelt me vaak een verhaal, ik zeg: 'Dat weet ik, dat heb je al verteld.'

'Nee, dat is niet zo.'

'Toch weet ik het, ik ben erbij geweest. Je moet me niet voor de gek houden, daar koop ik niets voor.' Ik voel dan dat mijn gezicht verstrakt.

Zo gaat het al jaren tussen ons, alsof we zijn uitgepraat. Misschien kan de schilder niet alleen mij als nieuw scheppen, kan hij ook in dit doodse huis leven brengen. Nu praat ik alsof elk woord de gloed van het nieuwe bezit.

Als Bisschop mij heeft voltooid en ik aan een wand in de woonkamer prijk, dan zal ik me verlatener voelen dan ooit, bestolen.

Ik leef nog en toch zullen de mensen eerst naar het schilderij kijken, alsof het portret mijn werkelijk bestaande, levende evenbeeld is. Daarna ontmoeten hun zoekende ogen mij, oude vrouw in de stoel in de hoek van de huiskamer, zittend, de hele dag, ik wil weg maar ik blijf een roerloze gestalte.

Dan zullen de mensen zeggen: 'Uw portret is sprekend u, mevrouw, helemaal gelijkend. Dat heeft de schilder voortreffelijk gedaan.'

'Dank u wel,' zal ik beleefd antwoorden.

In mijn innerlijk gaat op dat moment alles kapot. Als mijn leven al een dak had, zal dat instorten; als zich al vaste grond onder mijn voeten bevond, zou die onder mij weggeslagen worden.

Dan heeft de scheppende man mij verraden. Ik geloof niet dat hij zoiets zou doen. Daarom is hij niet hier gekomen. Zijn bedoelingen zijn niet slecht, hij zal me niet bitter maken. Ik leef in de overtuiging van het goede van de mens, zonder dat kan niemand bestaan.

De schilder heeft geen boos spel met mij willen spelen. Een waan die ik niet begrijp kleurt mijn gedachten.

Ik kijk naar buiten, naar het lage licht dat onder de wolken straalt en zijn weg verder zoekt, hier in de kamer valt en mijn gezicht verlicht.

Mijn hart klopt. De slagen gaan regelmatig, langzaam. Kan een hart ook slaan in een schilderij? Dat moet ik aan de scheppende man vragen. Hij moet mijn hartenklop schilderen. Vroeger keek ik met mijn man in musea wel eens naar portretten, dan zei ik: 'Kijk, die vrouw in haar sneeuwwitte jurk met zwarte, lange handschoenen aan leeft, ze volgt ons met haar ogen.'

Zonnewende

Meneer Bisschop is drie dagen achter elkaar geweest, en ik heb hem daarna een tijd lang niet gezien. Mijn man is ervan overtuigd dat hij in het atelier bij zijn huis, een schuur in de achtertuin met veel ramen en daklichten, het portret zal voltooien. Mijn man is in Bisschops werkruimte geweest om over dit portret van mij een afspraak te maken.

Het was een woeste ruimte, zo noemde hij het.

Alsof er een wervelwind had gewoed die alle verftubes, kwasten, spielatten, repen linnen, penselen, verfpotten door elkaar had gegooid. Tegen de muren stonden schilderijen en aan de wand hingen schilderijen. Portretten, natuurlijk. Ook schilderijen die alleen een vlak voorstelden in een harde, blauwe kleur of rode kleur met gele en zwarte banen erlangs of grijze, wolkachtige patronen. Schilderijen waarop je niets kunt herkennen. Grote formaten.

Als ik soms naar buiten kijk, bestaat mijn uitzicht uit een wereld waarin ik niets herken, zelfs de huizen of de bomen niet, geen mensen, alleen maar vage vormen en vervloeiende contouren. Alsof ik me in een onderwaterwereld bevind. Zo klinken de geluiden ook: als onder de waterspiegel.

'In het midden van het atelier troont de schilders-ezel,' voegde mijn man eraan toe. 'Daarboven hangen felschijnende lampen. De schilder zegt dat het soms net is of God zijn hand stuurt.'

Ik hoop dat mijn portret daar nu op die ezel staat en dat God zich met mij bemoeit. Dat Hij me niet vergeten is, dat ik nog meetel. Dat zou me troost bieden. Troost is een woord van vroeger, voor mij geldt het nog altijd. God immers is aandacht, meer niet, aandacht die als het licht in de vroege ochtend komt. *Voor de orkestmeester, zoals: Ludwig van Beethoven, 'Les Adieux', pianosonate in Es-dur, Adagio.*

De stem van mijn man is het eerste wat ik hoor. Hij zegt: 'Straks komen de kinderen. Allemaal. Maarten, Johan, onze schoondochters, de kleinkinderen, Kasper ook.'

'Onze schoondochters...,' herhaal ik zacht. Ik ben eigenlijk hun naam vergeten. Of niet? Karin...

'Ze blijven tot vanavond laat. Ze willen de tijd hebben ons te spreken en we hebben iets te vieren, het zal mooi zijn.' Mijn man is zorgzaam, nu. Ik zou onzichtbaar willen zijn. Het is al laat. Elron was mijn grote liefde. Zijn lichaam verzengde het mijne. Ik werd gewiegd. Ik dreef op hoge, felle golven.

Het is alsof mijn man de dag van gisteren goed wil maken. Met de auto zijn we naar het ziekenhuis gereden. Ik had moeite met instappen. In een witte onderzoekskamer stelde een man mij vragen. Hij was arts, zoals mijn man zei, een arts die alles weet van iemands hoofd en wat daarin allemaal gebeurt. Hij praatte wel een uur met me, ik moest vragen beantwoorden en kruisjes zetten op een lange lijst. Hij vroeg naar mijn moeder en broers.

'Mijn broers hebben maar kort geleefd,' zei ik. 'En mijn moeder deed vreemd toen ze ouder werd. Net of ze in een andere wereld leefde. Ze maakte zinnen die klonken als raadsels en wij, kinderen, konden haar vaak niet volgen. Dan zei ze bijvoorbeeld opeens: "Het waait." Terwijl het windstil was, zeker in het tehuis waar zij woonde, was opgesloten… Ja, ik zei het zo, ze was opgesloten in een tehuis en ze werd daar verzorgd. We leefden in verschillende werelden, mijn moeder en haar kinderen. Niemand kon daartussen een brug slaan. Dat was in Sassenheim, het dorp waar ik ben geboren. Als we een glas vermout of sherry dronken, zei ze: "Het hangt aan, kijk maar eens." Later schonken ze haar een glas druivensap, ze dacht dat ze wijn dronk en ik hoor haar nog steeds zeggen: "Het wordt licht in mijn hoofd. Ik zie kleuren van de regenboog." Maar nee, somber was mijn moeder nooit. "Het waait." Ze keek met lichtjes in haar ogen. *Voor de orkestmeester, zoals 'I Remember You', Take 1, Charlie Parker.* Later in haar leven kon ze geen samenhangend verhaal vertellen, na een paar zinnen raakte ze de draad kwijt en begon ze aan een nieuw verhaal. Dat vonden we wel vreemd, maar mijn kinderen vermaakten zich altijd bij grootmoeder. "Mijn vader…?" zegt u. Mijn vader is te jong doodgegaan.'

Ik geef antwoorden aan de arts zoals naar waarheid de dingen zijn gebeurd; ik kan het niet anders zien. Ik kan niet fantaseren. 'Aan zijn hart,' zeg ik.

'Aan zijn hart,' herhaalt mijn man.

'Mijn moeder en zusters lijden aan hun hoofd. Dat is in het kort de geschiedenis van mijn familie.'

De dokter zwijgt, schrijft mijn antwoorden op, knikt af en toe. Hij kijkt me aan met een geruststellende blik en hij maakt kalme gebaren. De witte kledij maakt hem strenger dan hij in werkelijkheid is. Er is zoveel wit in deze ruimte. De muren zijn wit, de kast met schuifdeuren is wit en zelfs een klein schilderij dat tegenover mij hangt, boven het hoofd van de arts, stelt een berk voor met heel lichtgroene bladeren en een lichte hemel erboven. De deur is niet helemaal dicht. Geluiden van de gang klinken schel door. In de hoek hangt aan een halfronde, stalen boog een gordijn. Ik zie een houten kruk staan.

Moet ik me uitkleden? Niet helemaal, maar toch. Laten onderzoeken? Loop ik soms krom als op een gure dag midden in de winter tegen de wind in?

Nee. De dokter vouwt een groot vel papier voor me open dat hij gladstrijkt met gespreide handen. Zijn doktershanden raken even mijn bovenarm aan. Hij doopt een pen in een inktpot, laat druppels zwarte inkt op het papier vallen in rusteloze patronen. Hij sprenkelt de inktspatten in het rond.

Na een paar tellen wachten om de inkt te laten 'opzuigen door het zachte papier,' zoals hij zegt, vouwt hij het vel papier juist in het midden dicht.

Ik kijk verbaasd van het papier naar zijn gezicht, en weer terug.

'U bent toch geen schilder?' vraag ik. Ik hoor een trilling in mijn stem en mijn ogen gloeien, alsof er tranen opkomen.

'Nee hoor, ik ga u vragen wat u nu ziet.' Hij heeft

het papier alweer opengevouwen en ik staar met schrik naar een zwarte, grillige vorm die in het midden doorsneden wordt door de vouw van het papier. Beurtelings is die vorm dreigend als een spookbeeld in een nachtmerrie en dan harmonisch en verstild, net een grote zwarte roos. Ik kan niet kiezen.

Mijn lippen vormen de woorden: 'Ik kan niet kiezen, dokter.'

Vleermuis of vlinder, daar lijkt het op. Zwarte vleermuis, kleurrijke vlinder.

Mijn man knijpt zacht in mijn hand. Hij wil mij duidelijk maken dat ik een beslissing moet nemen. Het is of de zwarte vorm beweegt over het witte vel, of de vlindervleugels trillen. Een schaduw die als een donkere vogel kan opvliegen. Ik begrijp dit spel niet.

Net als bij het poseren voor de schilder valt de stilte mij zwaar. Terwijl ik naar de vlek tuur, glijden mijn gedachten weg. Mijn ogen haken nog even aan de rand van het papier en dan is het of alles zwart wordt. Ik zie mijn man en mijzelf staan bij de zonnewijzer in de achtertuin. Het is hoogzomer, warm, ik draag een lichte jurk, de zon schijnt op mijn blote schouders. De bomen zijn vol van diepe schaduw. Zojuist heb ik wasgoed aan de lijnen gehangen, er waait zelfs een vleug zeeppoeder door de tuin. De kelken van de bloemen staan open. Het is windstil. Mijn man zegt, ik hoor zijn stem, dat 'de zon op zijn hoogste punt staat'. Het is dus twaalf uur. In de bronzen, ronde vorm van de zonnewijzer wijst de schaduwlijn van de pijl het tijdstip aan. De wijzer is scherp afgesteld. Zoiets kan ik gerust aan mijn man overlaten. Daarna begint de namiddag en 'wendt de zon zich af van de aarde,' zoals mijn man zegt, en verandert het licht. Het is of het zomerse licht mij optilt van de aarde.

Mijn man slaat een arm om mij heen. De dokter schenkt uit een waterkan een glas voor mij in. Het water is koel aan mijn lippen. Hij bet mijn voorhoofd. De tuin met de zonnewijzer wijkt uit mijn gedachten.

'Een vleermuis,' zeg ik hardop, 'een zwarte vleermuis met grote zwiepende vleugels die mij aanvliegt.'

Mijn blouse is in de loop van het gesprek gekreukeld en klam geworden. Mijn voetzolen beginnen te branden.

Ik kan me niet herinneren hoe we zijn weggegaan en thuisgekomen. Er loopt een lange, hardstenen trap van het ziekenhuis naar huis. Ik liep en liep, trede na trede, er kwam geen einde aan, mijn voeten wogen zwaar. Ik moest oppassen niet te struikelen. Mijn man ondersteunde me. Thuis werd ik wakker in de slaapkamer. Het was nog licht, de gordijnen waren maar voor de helft dichtgeschoven. Er zongen vogels in de tuin. Ik zag de boomtoppen die zich donker tegen de lichte hemel aftekenden. Ook vlekken, net als op het vel papier in de ziekenhuiskamer. Waarom verandert alles voortdurend? Zijn vormen telkens aan het vervloeien? Zie je de kruin van een boom, lijkt het een donkere wolk; zeilt er een wolk voorbij aan de hemel, is het net een giraf.

Het is een zegen dat ik helder van geest ben, anders was me vast iets overkomen.

Ik lag in bed en deed mijn ogen dicht. Het kussen was zacht. Ik zonk erin weg.

Er zijn uren vergleden, misschien heb ik wel een nacht doorgeslapen, ik moet het mijn man vragen, die staat vast in de achtertuin bij de zonnewijzer en kijkt op zijn horloge en wil weten of het klopt, de tijd van de zonnewijzer en de tijd van zijn horloge, of de tijd hetzelfde is, dat is belangrijk voor hem, zo'n man is het wel, een man van vaste tijdstippen en schaduwen en zonnestanden, vroeger had hij het ook wel eens over de sterren en velden in de aarde die hij 'magnetisch' noemde.

Ik ben te oud om alleen in een vreemd land te reizen, heeft mijn man eens tegen me gezegd.

Mijn man roept van beneden: 'De kinderen komen.'

Ik weet dat hij een paar treden naar boven is gegaan, dat doet hij altijd. Hij denkt dan dat ik hem beter kan verstaan, is hij dichterbij.

De schrik slaat me om het hart. Nu moet ik me gaan haasten, opfrissen, aankleden, lipstick op, mijn haar doen, de cyclaamrode blouse aan. Al een paar dagen ben ik mijn tandenborstel kwijt. Het gaat te snel. Waarom komen de kinderen uitgerekend vandaag, na zo'n slechte dag voor mij in het ziekenhuis? Ze moeten begrijpen dat ik vermoeid ben.

Ik wil graag op mijn best voor de dag komen. Dat heb ik mijn hele leven gedaan. De kinderen gooien mijn dag in de war. Mijn kleren vallen uit de kast over mij heen. Het is of de mouwen van een blouse uit zichzelf om mijn hals slaan en me verstikken. Of een dief zich in de kast heeft verscholen. Iemand moet komen en me helpen.

Een jurk glijdt van het hangertje. Ik merk nu dat ik twee verschillende schoenen draag; de linker is zwart en dicht, de rechter heeft een hoge hak, is blauw en opengewerkt. De deur naar de badkamer kan ik niet vinden. Het zal goed zijn als ik water over mijn handen laat stromen, dat kalmeert me. De ketting met de zilveren schakels is in elkaar gedraaid. Waar is mijn tweede goudkleurige oorbel? Mijn been raakt verstrikt in een kous. Mijn kleren zijn eng. Ik struikel. Voordat ik me aankleed, wil ik een bad nemen. Hoor ik daar iemand mijn naam roepen, 'moeder' zeggen? Is het een droom, een echo?

'Mama, waar ben je?'

Beneden klinken stemmen. Daar zijn ze al.

'Ze wachten op je...'

Wie, 'ze'? Allemaal.

Ik werd wakker van stemmen, ik wist niet waar ik was. Gisterochtend waren het ook stemmen die me wekten. In mijn hoofd spookten nog flarden van een droom. Die stemmen in mijn eenzaamheid: het worden er steeds meer. Soms hoor ik ze ook overdag, tegelijk met beelden die ik voor mijn ogen zie van een dokter in witte jas, vlinders, een zonnewijzer, de beeldschone Valéry met haar lange blote benen en verleidelijk krullende lippen, bloeiende bollenvelden, het vuurrood van tulpen, mijn kinderschoenen die over de klinkers van de stille kade gaan, ik zie jurken van dansende meisjes na de oorlog, de jongens bewegen zich stram en vallen uit de maat, en dan zijn de stemmen plots weer stil, alsof ze de voorstelling in mijn hoofd niet willen verstoren.

Soms rijmen de stemmen niet met de beelden. Ik zie de dokter en hoor mijn man.

De zon glijdt geluidloos langs de zomerhemel.

Zonen, schoondochters, kleinkinderen. De hoge kinderstemmen weerkaatsen helder door het huis. Ze zijn opgewonden, jongens en meisjes door elkaar. Ik hoor hun voetstappen door de gang, met een klap gaat de kamerdeur open en ze rennen over de houten vloer naar binnen.

Het glaswerk in de kast rinkelt.

Ik hoor een stem die zegt: 'Het glaswerk in de kast rinkelt.' *Voor de orkestmeester, zoals Ludwig van Beethoven, Adagio Hammerklavier, Klaviersonate B-dur.*

Ik kijk om me heen. Er is niemand. In de spiegel zie ik mezelf staan. Ik sla een hand voor mijn mond. Ik moet me verder aankleden, zo, half met een kous aan en in een onderjurk, waarvan het ene schouderbandje omlaag is geschoven en met slechts één glanzende oorbel, schoenen die niet passen, kan ik me niet vertonen.

De slaapkamerdeur gaat open.

'Niet schrikken, moeder, u kent me toch, ik ben de vrouw van Maarten.'

De vreemde vrouw kust me.

'Karin,' hoor ik haar zeggen.

Mijn hoofd klaart op. 'Dag Karin, hoe is het?'

'Kan ik u helpen? Uw man vroeg me of ik even naar boven wilde gaan... We zijn net aangekomen, uw man heeft de stoelen klaargezet op het terras en we willen thee gaan drinken. Onze kinderen vragen naar u. Maar van mij mogen ze niet zomaar naar boven lopen.'

Karin noemt mij 'moeder'. Ik ben haar moeder niet, ik heb geen dochter, alleen zonen en als die zonen trouwen, ben ik dan de moeder van hun vrouw? Ik moet daarover nadenken. Misschien wel. Een nieuwe moeder, hun tweede, een moeder die ze ook 'schoonmoeder' noemen. Nu deze jonge vrouw, die mijn zoon elke nacht tussen zijn lakens vindt, tegenover me staat, stralend, glanzend, alsof ze net in bad is geweest en haar haren geuren naar shampoo, voel ik me plots ouder.

Het opstaan deze ochtend ging moeilijk. Kleren uitzoeken in de kast ook. Ik heb moeite met het vinden van namen. Me vooroverbuigen om een kous aan mijn voet te schuiven gaat me niet makkelijk af, net als trappenlopen.

Maar taal ben ik niet verleerd. Moeder, schoonmoeder, kleindochter, kleinkind, grootvader, zoon: onze familie kan ik in woorden vangen. Mijn moeder verloor haar taal. Sindsdien verdween ze uit onze levens. Zonder taal besta je niet. En als ik aan haar denk, is dat in taal. Dan bestaat ze in taal.

Kon ik die gedachte maar aan iemand uitleggen, met iemand delen.

Het woord 'moeder' stelt me gerust.

Ze heeft vaardige handen, Karin, ze is zorgzaam. Ze schikt de bandjes van mijn onderjurk recht en knoopt de mouwen van mijn blouse los. Ik kan weer vrij ademhalen. Ze doet mij een rok aan en schuift de ritssluiting omhoog. Dat geeft een vertrouwd gevoel; mijn man deed dat lang geleden ook wel eens.

De zilverkleurige ketting heeft ze in nog geen tel ontward en ze klikt het sluitinkje dicht. Mijn oorbellen staan me goed. Ze zoekt onderin de kast passende schoenen uit. Ik stap erin. De hoge hakken maken mij los van de grond, ik moet oppassen niet te zwikken. Ik span mijn enkels. Kijk eens, ik ben sterk en krachtig, ik loop dansend aan de hand van mijn schoondochter de duizend treden van de trap af, en daar, beneden in de hal, staan opeens mijn man en zonen, kleinkinderen, een andere dochter, ze begroeten mij, ik krijg kussen, het is of er iets te vieren valt maar niemand is vandaag jarig, zoiets weet ik altijd zeker, verjaardagen kan ik goed onthouden, zoals mijn man de zonnewende scherp in de gaten houdt, dan weet hij wanneer het duister wordt en hij de lampen aan moet steken, opdat ik niet 'bang' word, zoals hij zegt. Ook de jongste is er, Kasper. Kijk eens, hij heeft een vriendinnetje meegenomen, ze is erg jong.

Er is een klein meisje bij dat haar armen om mijn middel slaat. Twee jongetjes staan te springen, ze hebben een korte broek aan en schrammen op hun knieën.

Niet Karin maar een schoondochter die vast Elske heet, ja, zo heet ze, ik hoor haar zeggen: 'Dag mama, ik ben Elske.'

Ze draagt een klein kind op haar arm dat ze wiegt, ze maakt er sussende geluiden bij, het kindje trekt met haar mondje alsof het zo dadelijk gaat huilen.

Ik hoor namen: Lia en Elsbeth, Thomas, Herman, Leonie, Maike. Heet een van de kleine meisjes Rosalinde?

Ik kan goed gezichten onthouden en een stem thuisbrengen bij een gezicht.

Maar namen en gezichten, dat gaat niet samen.

In een kring staat iedereen om mij heen. Het is een familiekring. Het is lang geleden dat ik mijn zonen voor het laatst zag. Ze wonen ver weg in een stad die mij gevaarlijk voorkomt, ik durf er niet heen. Het is mij een raadsel hoe ze in die stad de weg vinden, al die straten kriskras door elkaar, het vlechtwerk van staaldraad boven de tramrails alsof je opgesloten bent. Claxons, fietsbellen, hordes mensen die mij opzijduwen of dwars door me heen lopen. Donkere gevelrijen. Honderden huizen in een straat, ook nog eens boven elkaar gestapeld. Waaiende wind in de bomen. Hoge ramen die flarden van de hemel weerkaatsen. Donkere hoeken waarin fietswrakken staan. De hele stad die zich over me uitstort als een vloedgolf, en daar wonen mijn zonen, niet in dezelfde stad, er zijn zoveel steden, ze moeten wel ergens wonen want in Mariënlo tref ik ze niet, zelfs niet langs de bosweg.

Onze voordeur heeft een bel met daaronder onze naam, Wensiez-Lankhorst.

Ons huis ligt afgelegen, het lijkt soms of er niemand is, en tegelijkertijd is het niet verlaten want ik zal het huis nooit alleen durven laten. Ik woon hier. Wij wonen hier. Eens waren we een gezin, een familie, nu ben ik alleen over. Aan het eind van mijn leven: overgeschoten.

Mijn angst als jong meisje. Na de oorlog was er een overdaad aan meisjes, aan vrouwen.

Huisdeuren in de grote stad tellen wel tien, twaalf

namen, de bellen hangen aan gekleurde stroomdraadjes ernaast, 'Drie keer bellen' staat erop, of: 'Voor Magda twee keer kort en een keer lang laten overgaan'. Had je eindelijk de juiste bel bij het goede naambord gevonden, dan sprong de deur open, zonder dat iemand erachter stond.

Maarten heeft me laten zien hoe deuren in de grote stad werken. Van de bovenste verdieping loopt een touw naar beneden…

'Kom, mama, we hebben een verrassing voor je…'

… dat touw volgt een stelsel van katrollen…

'Mama, we zijn zo blij dat we je zien, dat je gezond bent en er goed uitziet. Je kleinkinderen missen je. Onze zoon Thomas…'

… naar de voordeur. Met een lus is het touw om de grendel geslagen, trek je…

'Elsbeth heeft een tekening voor je gemaakt, laat maar eens aan grootmoeder zien. Het is jullie huis, een huis onder de bomen…'

… op een van de verdiepingen aan het touw, dan springt de deur vanzelf open. Ben je binnen, dan roept een stem van boven: 'Wie is daar?' Of: 'Kom verder, drie trappen op.'

De familiekring sluit zich om mij, ook om mijn man, om ons beiden, hij staat vlak naast me, een arm om mij heen geslagen. Ik voel een gloed jagen naar mijn wangen. In een golf bewegen we ons naar de woonkamer. Serpentines kringelen door de lucht en versieren mijn kapsel, schouders. Confetti dwarrelt als sneeuwvlokken. De kinderen draaien rondjes om mijn man en mij. De smalle, papieren slingers in rood, oranje en geel verbinden ons. De kinderen zingen een liedje, ze hebben zelfs papieren toeters waarop ze blazen. Het doet pijn aan mijn oren. De allerkleinsten hebben een papieren hoedje op in glimmende kleuren. Ze zijn vrolijk.

Aan de wand hangt een rechthoekige vorm met een doek eroverheen. Het is nieuw. Ik heb het nooit eerder gezien. De muur daar was leeg. Of is de kast met de glazen opgeschoven?

Verdwenen misschien? Heeft een van die nieuwe vrouwen in dit huis de glazen waaruit wij geluk en verdriet proefden en zelfs de kast waarin ze waren opgeborgen weggehaald? Soms vonden we de volgende ochtend de champagnekurken in de tuin en waren de lege wijnflessen bezaaid met dauwdruppels. Het is niet voor niets dat ik de vrouwen van mijn zonen zo 'steels' vind.

Zoiets mag ik niet denken. Dat heeft mijn man me geleerd: 'Zoiets mag je niet denken.' Steels is een gemeen woord.

Ik had gewild dat mijn zonen niet zouden trouwen. Ze verlieten het huis voor hun eigen leven en daarin is voor mij geen plaats. Ik bleef achter in een stoel aan het raam. Die jonge moeders daar hebben nu mijn leeftijd, vol verwachtingen van toen. Ze kijken mij aan met in hun ogen de blik van mededogen jegens een oudere vrouw. Ze gedragen zich alsof dit huis niet van mij is, niet van mijn man en mij, dit huis waar we al zo lang wonen, ze vervreemden ons van dit huis waarin ze rondlopen alsof wij dood zijn en zij van deze woning met herinneringen een leeg huis maken. Mijn zonen zijn jongemannen die ergens, ver in het oosten van het land, voorbij diepe bossen en lage heuvels, een naamloze moeder hebben.

'Mama, jij en vader zijn vandaag vijftig jaar getrouwd, een halve eeuw lief en leed, huwelijksgeluk. We zijn trots op jullie.' Mijn oudste zoon staat op een stoel. Slingers hangen om zijn schouder. Zijn vrouw – Catherine, Karin? – staat naast hem met een dienblad vol slanke glazen. De andere vrouw opent een fles, de wijn schuimt wit en bruisend over de rand en ze schenkt de glazen vol. De kinderen krijgen vruchtenlimonade die ze met een rietje drinken.

Ze toasten. Johan duwt mij een glas in mijn handen en ik drink mee. Ik voel me jong. Het licht dat door de ramen valt, schittert in het glaswerk. Elk glas heeft een stralenkrans. Ik herinner me niet veel van mijn huwelijksdag, maar nu is het toch alsof die dag in het verre voorjaar en vandaag samenvallen. Mijn moeder was onbewogen, mijn vader liet zijn gevoelens vrij.

Mijn man kust me. Het is alsof ik voor het eerst van mijn leven gekust word; mijn zonen, hun vrouwen, de kinderen zoenen me. Overal om me heen klinken kleine explosies. De wijn stijgt naar mijn hoofd en ik word licht, roezig. *Voor de orkestmeester, het laatste lied, zoals: Wolfgang Amadeus Mozart, Symfonie in G-moll, Molto allegro.*

'Nu volgt de verrassing,' zegt mijn man plechtig. Hij verheft zijn stem. Hij lijkt opeens groter dan ik hem ooit heb gezien. Het uniform met de onderscheidingstekens stond hem vijftig jaar geleden goed en nu draagt hij nooit meer een uniform. In dat uniform vloog hij de hele wereld over.

Iedereen staat in een halve kring, de gezichten zijn gespannen. Mijn oudste draait het glas rond tussen zijn vingers.

Ze kijken naar hun vader, die zijn rechterhand strekt en in een snelle beweging, met een zwaai, het doek weghaalt en daar kom ik tevoorschijn, mijn portret met cyclaamkleurige blouse.

De scheppende schilder is afwezig. Waarom? Wilde hij niet aanwezig zijn bij de onthulling? Is het onverschilligheid?

Ik zou ook niet weten wat ik tegen hem moet zeggen. Ik schrik. Ik ben niet de jonge vrouw geworden die de schilder beloofd had te scheppen. Hij heeft me niet uitverkoren jong en jeugdig te mogen zijn: voor een keer geschilderd en voor altijd zo te blijven, sterker dan wat ook, bestand tegen de tijd. Ik kan nu niet wedijveren met de vrouwen hier in de kamer, ik sta in hun schaduw als vrouw met diepe, harde trekken, starende ogen, samengeknepen mond en zelfs in mijn hals rimpels die Bisschop daar nooit had mogen aanbrengen met die penselen van hem die in mijn huid snijden als een mes, groefjes rondom mijn mond, dat ben ik niet, hij heeft mijn uiterlijk weergegeven en niet hoe ik vanbinnen ben. Hij is mijn jeugd vergeten die verdwenen is in de eeuwigheid, die ligt tussen onze trouwdag en nu, de afgrond die zich uitstrekt tussen onze jeugd en de ouderdom. *Rage, rage against the dying of the light.*

Ik had hem gevraagd die jeugd op te sporen in mijn gezicht en aan mij terug te geven.

Ik wilde mijzelf als jeugdportret. Het oud worden bestaat niet, heeft nooit bestaan; ik ben niet zo oud als de straat, ik blader niet alleen maar in mijn leven als in een fotoalbum, ik wil graag dat er muziek klinkt, oorverdovend, alles en iedereen overstemmend, kom met saxofoons en gitaren, stemmen, violen, piano, met adagio's en andantes, rondo's, allegro's en sonates en volle orkesten. Was ik dirigent, regisseur, de concertmeester: ik zou alles in mijn macht hebben.

Nu val ik in fragmenten uiteen.

Het stilzitten voor Bisschop doet nog pijn in mijn rug.

Ik zie steeds dat hij af en toe opstond en enkele passen achteruit deed om mij en het schilderij in een oogopslag te vangen, hij kneep zijn ogen samen om door het sleetse weefsel van mijn huid de gave jeugd terug te vinden.

'Mama, het is prachtig,' hoor ik de oudste zoon zeggen, 'het is zo gelijkend, je bent het helemaal.'

'Ja,' bevestigt mijn man. 'Bisschop heeft je goed getroffen, ik had hem gevraagd ter gelegenheid van onze trouwdag een portret van jou te maken, zoals we je kennen en zoals je zo dierbaar voor ons bent.'

De stem van Johan klinkt altijd wat hoger: 'Mama, zo blijf je in onze herinnering.'

Kasper zegt met lieve stem: 'Je bent mooi op het schilderij, mama...'

De kleinkinderen hebben geen belangstelling meer en beginnen rond te rennen, hun voetstappen maken bonkend lawaai op de houten vloer en hun stemmen schieten door de kamer als schelle sirenes.

'Moeder, zal ik nog een glas inschenken vanwege deze feestdag?'

'Ja, dat doen we,' valt de ander bij en iemand gaat naar de keuken en haalt een fles uit de koelkast.

'Is het goed dat ik straks ga slapen, na dit glas?' vraag ik. 'Ik ben moe. Het is voor mij een drukke tijd geweest en die schilderende meneer Bisschop heeft me ook uitgeput, ik moest alsmaar mijn hoofd recht houden, rechtop zitten en hem aankijken, we hebben ook veel gepraat, dat maakt me moe, het vele praten over vroeger heeft me afgemat, maar ik denk niet dat hij goed naar me heeft geluisterd.'

De hoge trappen naar de slaapkamer vallen me zwaar. Terwijl het feestgedruis langzaam wegsterft en mijn vermoeide benen mij trede na trede daar vandaan brengen, wordt mijn verlangen naar slaap sterker. Ik wil me uitstrekken op mijn bed, wegglijden. Ik vraag me af wie er zal koken vanavond, dat is nu mijn zorg niet, de jonge vrouwen maken vast pasta of zoiets, een maaltijd die spaghetti heet, iedereen bereidt alleen nog deegwaren in tomatensaus, ja, vertel mij niets, ik weet waarover ik het heb, terwijl ik vroeger graag in de keuken stond en aardappelen kookte, mooie nieuwe Hollandse aardappelen. Wij lieten aan het begin van de winter een mud aardappelen brengen door de handel uit het naburige dorp. Ik was de koningin van het bereiden van aardappelen; puree, gebakken aardappelen, glanzend gekookte aardappelen die ik buiten in de wind opschudde om ze te laten kruimen, vastkokende aardappelen, stamppot in de winter. Aan het einde van de winter hadden de aardappelen in de kelder lange sprieten. Die vond ik er altijd akelig uitzien. Ik moest er wit poeder overheen strooien om dat uitgroeien te voorkomen.

Ik wankel.

Ik mag niet wankelen, anders val ik.

Ik ben altijd bang met mijn gezicht voorover te vallen.

Het lijkt alsof ik kruip naar mijn bed, mijn knieën schuren over de vloerbedekking, mijn kleren zitten veel te strak om mijn lichaam. Ik wil ze lostrekken. De knoopjes klemmen, de bandjes van mijn onderhemd snoeren in mijn huid. Ik krijg er striemen van. De oorbellen doen me pijn.

Er is niemand om me te helpen. Waaraan heb ik dit verdiend?

Zwangerschapsstriemen: dat was het woord. Bij het eerste kind vond ik dat het ergste; daarna niet meer.

Ik heb er lang naar gezocht. Sommige woorden glippen weg uit mijn hoofd, zoals een schaduw 's nachts in een verlaten stad om de hoek van een straat verdwijnt. Zwart op zwart.

Ik strek me uit op het bed, de lakens zijn heerlijk koel. Ik heb het onderlaken strak getrokken over de matras. Beneden klinken de stemmen, ik hoef er niet bij te zijn.

Het is alsof ik nooit meer wakker zal worden.

Ik kan me niet meer voorstellen dat vroeger mijn dagen zo anders waren dan nu; opstaan, een bad nemen, koffie zetten, ontbijten, een was draaien, strijken, boodschappen doen, koken, de afwas, bij vrienden op bezoek gaan, de rozen in de tuin snoeien, de rozen plukken, in de herfst de eerste dahlia's zien opbloeien, 's avonds schone kleren aantrekken, mijn nagels lakken, tanden poetsen, een winterjas aantrekken als het koud is, bij regen schuilen onder een paraplu, op reis gaan door verre, vreemde landen en ansichtkaarten sturen naar mijn kinderen, een nieuwe jurk kopen, de gewone zaken van het leven die ik nu niet meer kan, mijn man begroeten als hij thuiskomt, naar de markt gaan en een kilo appelen kopen, een tros druiven met zo'n waas erover, brie van de mat, een krop volle sla, drie ons dadels, olijven, sinaasappelen, goudrenetten, eieren, rode bieten, tomaten...

De marktkoopman kwam een keer bij ons aan huis: ik was vergeten de appels mee te nemen en ook de bloemkool had ik op de kraam laten liggen.

Met mijn jongste zoon dopte ik altijd, in de nazomer, de tuinbonen. Ik kocht drie kilo, een emmer vol. De seringenstruiken stonden in bloei. In de schaduw daarvan zaten we, mijn Kasper en ik. Met een nagel sneden we de tuinboon overlangs open en we vouwden de beide helften weg. Binnenin, op een fluweelzacht bed, lagen de bonen, soms vier of vijf.

In een van de keukenkastjes heb ik een spinaziemolen bewaard, niemand gebruikt die nog. In mijn tijd wasten we een paar kilo spinazie drie of vier keer, daarna maalden we de spinazie en dan bleef er uiteindelijk slechts een pan over. Die serveerde ik met een gekookt ei.

Ook snijbonen sneden we met een molen in fijne, flinterdunne reepjes.

Hoe moet ik mijzelf noemen? Ik leef nog, maar ben zoveel kwijtgeraakt dat hoort bij het gewone leven, het leven dat de mensen elke dag leven, ik ben zelfs mezelf kwijtgeraakt, net als het glasservies dat uit dit huis wordt weggeroofd. Ik ben de weduwe van mijn eigen leven. Drenkeling in een zee zonder water. Ik ben gehuwd met vergetelheid. Ik kan niet meer denken en denk aldoor; ik kan geen zinnen of verhaal meer vertellen, de taal is mij ontnomen, en toch praat ik onophoudelijk. Ik neem waar wat ik zie: als de wind opsteekt, komt er onrust in de tuin. Bladeren dwarrelen rond, vogels vallen plots uit de hemel.

Het is alsof ik licht ben als de lucht. Ik moet me vasthouden aan de leuning van de stoel, oppassen dat ik niet wegwaai of opstijg in de lucht als een ballon.

Soms is het net of er iemand anders in mij woont die zich een ander leven herinnert. Of een ander huis.

Het poetsen van schoenen vond ik altijd een soort genezing. Ik wreef schoensmeer op de krassen en kale plekken, alsof ik het leer bette.

Er strijkt een tinteling over mijn huid, die al sinds jaren gevoelloos is.

Mijn taal is aan scherven en in mijn hoofd rijgen zich zinnen aaneen, die mijn kinderen, kleinkinderen, zelfs de stralende nieuwe vrouwen van mijn zonen kunnen begrijpen.

Toch glijden onze zinnen langs elkaar als schepen in de nacht.

Soms zeggen ze dat ik iets al heb verteld, maar dat is niet waar; elke zin die ik zeg, zeg ik voor het eerst. Mijn vriendinnen noemen me wel eens de 'vrouw die zich herhaalt', maar dat is niet waar, ze zeggen maar iets. Vroeger trok ik me dat aan. Nu niet meer.

Ik schrik wakker. Hoe lang heb ik geslapen? Er staat een raam open, de gordijnen bewegen op de wind. Het is donker buiten, ik moet lang geslapen hebben. Mijn oogleden waren zwaar toen ik insliep, nu voelen ze licht aan als vlindervleugels. Ik kijk de kamer rond, het is of ik die voor het eerst zie.

De spiegel die tegen de kast is bevestigd, laat een hoek van het bed zien waarin ik lig. Ik kijk nooit meer in de spiegel, durf het niet zo goed. Ik zie niet de vrouw die ik werkelijk ben, ik zie dan de vrouw die de schilder van mij heeft gemaakt, ik geloof niet in schilders, ze gebruiken mij om van mij iemand anders te maken.

Ik had Jojanneke moeten volgen en net als zij een andere naam moeten kiezen, een schijngestalte moeten aannemen. Voor mijn kinderen zal ik altijd een moeder blijven en nooit iemand anders. Een moeder in de keuken, aan het aanrecht, een vrouw die inkopen doet op de markt.

Monique heb ik altijd een mooie naam gevonden, Frans, licht.

Alleen de dekens op mijn helft van het bed zijn weggeslagen. Mijn man is beneden, bij de kinderen. Ik loop straks de trap af, neem plaats in mijn stoel in de kring. Het nachtlampje boven mijn bed brandt nog.

Achter de deur van de kast slaapt en sluimert mijn garderobe. Jurken aan knaapjes die ik al in jaren niet heb gedragen, de kleuren zijn verbleekt en vaal geworden, ze passen mij niet meer. Jurken bedrukt met bloemmotieven, gotische letters, een zwarte jurk met witte noppen, een lichte jurk vol slingerpatronen als ranken en een met witte, rode en lichtblauwe schakeringen. Ze hebben me allemaal goed gestaan, met elke nieuwe jurk werd ook ik nieuw en jonger. Slank afkledende kokerrokken waarop ik een kort jasje droeg, getailleerd. Op de plank eronder de schoenen met hoge hakken en dunne enkelbandjes. Ik zweefde door de wereld.

Dat zei mijn man vaak: 'Als jij loopt, is het alsof je zweeft.'

Mijn voeten zijn te opgezwollen om de schoenen nog aan te kunnen. Niets van vroeger past mij meer, alsof ik werkelijk een ander ben geworden. Ik schuif de deur van de kast open en probeer een rode schoen van roodgelakt leer. Ik buk me en schuif mijn rechtervoet erin. Na enig wringen lukt het. Mijn hart juicht. Dan neem ik de andere, ik zit op de rand van het bed. Ook deze past me. Ik zoek een van mijn lievelingsjurken uit. Het is de zwarte met de gotische letters erop, een mooi klassiek model. Ik schuif hem over mijn hoofd, beweeg mijn schouders en glijd in de zachte stof. Voor het eerst in zoveel jaren, waarin duister heerste in mijn hoofd, kijk ik naar mijn spiegelbeeld.

De last van herinneringen weegt zwaar. Dat is ook de reden dat ik nooit in fotoalbums wil kijken. In de tijd dat je kinderen opgroeien en voorgoed hun gestalte en gezicht krijgen, glijd jij onmerkbaar over in een bitse, onverzoenlijke ouderdom, zonder genade of begrip, een ouderdom die woekert in je hoofd.

Kijk, mijn vroegere jongheid keert terug. De hoge hakken staan me goed, ze tillen me op. Ik groei. Hakken geven aan mijn heupen de draai die mijn stijl van lopen vroeger tot zweven maakte. Ik geef het toe: in mijn rug gloeiden de ogen van mannen, die me nakeken. Die ogen raakten je aan, net zoals ik op mijn lichaam de aanraking voelde van het penseel van de schilder. Op het planchet in de badkamer zoek ik naar de lippenstift. Ik breng mijn gezicht dicht bij de spiegel, trek mijn lippen strak en strijk het vermiljoenrood over mijn lippen. Met een kam maak ik mijn haar los, het dorre en doodse verandert in losse golven en slagen. Ik schud met mijn hoofd, alsof ik alles wat mijn leven stroef maakt van me af wil gooien.

Ik heb gewonnen.

Ik leef, adem, denk, praat, vind woorden, droom, slaap, word onmisbaar gevonden door man, kinderen, kleinkinderen, schoondochters en vind echtgenoot en zonen onmisbaar.

Ik ben als bevrijd uit de klemstoel.

Ik leef in het nu van een dag in een maand in een jaar, waarvan ik de namen niet weet, dat hindert niet. De luttele minuten dat ik in de spiegel kijk, zijn als een eeuwigheid. Het tijdstip van half tien op een dinsdagochtend kan hetzelfde zijn als om kwart over vier op een late zondagmiddag. Herfststormen jagen wel eens over dit land in juli. Soms sneeuwt het in april. Een augustusnacht kan nachtvorst brengen. De zonnewende brengt niet alleen het najaar, ook de lente.

Ik heb nooit begrepen waarom ik vroeger, net als

iedereen, behekst was door de tijd. Ik heb de sleutel gevonden voor een leven dat de dood overwint.

Ik spring in de toekomst, zo jong ben ik, de kracht van verwachtingen leeft in mij.

Ik zing; dansend ga ik de traptreden af.

Ik open de kamerdeur en het valt me op hoe stil iedereen om de tafel zit. De eerste die ik zie is Kasper. Zo blauw herinner ik me niet dat zijn ogen zijn. De kleine kinderen tekenen, kleurpotloden in alle kleuren van de regenboog liggen verspreid.

Er hangt een ernstige, plechtige sfeer. Tussen mijn man en oudste zoon ligt een stapeltje papieren.

Ik buig me voorover en lees: 'Stichting Huize Lindelaan. Zorgcentrum. Consultatiebrief en diagnostiek mevrouw J. M. Wensiez-Lankhorst.'

Ziet niemand mij? Ik roep, trek de aandacht, niemand laat merken dat ik er ben. Het lijkt alsof ik naar een schilderij kijk, waarop de figuren zijn versteend. Toch bewegen de lippen van mijn man, maar ik kan zijn stem niet horen.

Duidelijk zie ik de zwarte letters gedrukt op het witte papier, dat hard glimt in het licht van de eettafellamp. Ik kan zelfs de woorden lezen, zonder meteen van alles de betekenis te begrijpen. Ik hoor mijn man zeggen dat 'confabuleren' het 'vertellen van gefantaseerde verhalen betekent'.

Ik kijk hem vragend aan. Weer die afwezige, niets herkennende blik in zijn ogen. Alsof ik doorzichtig ben. Ik roep nog eens. Iedereen kijkt door me heen. Het is een geluidloze schreeuw. Het is de stem van de arts van toen, ik weet niet eens meer wanneer, die ik hoor als ik de zinnen hardop lees: 'Vraagstelling: omgangsadvies en plaatsing sluimerwachtlijst in verpleeghuis. Mevrouw is geboren in Sassenheim in een gezin van zeven kinderen. De vader was arbeider. Het echtpaar heeft drie jongens gekregen en tussendoor is een kind, een meisje, doodgeboren. Zij is vergeetachtig geworden en in de afgelopen winter psychisch sterk verslechterd. Zelfzorg neemt af. Ze zit vaak doelloos voor zich uit te kijken. Het betreft een vriendelijke vrouw die confabuleert, gedesoriënteerd in tijd en plaats is en duidelijk verstandelijke beperkingen vertoont, doch lichamelijk een vitale indruk wekt. Haar stem is wat "gebroken". Het tempo van het denken verloopt normaal, haar interesse is vluchtig, het bewustzijn helder, de inhoud van het denken is beperkt en ze herhaalt zich. Bij haar is duidelijk sprake van een dementiesyndroom van het Alzheimer-type. Zij lijdt aan identiteitsverlies. Het lijkt ons zeker zinvol haar nu al op een wachtlijst te plaatsen, sluimerwachtlijst, van een verpleeghuis.' Aan het slot staat er: 'Bijlage: aanvraagformulieren'.

Dit gaat over een andere vrouw dan ik ben.

Mijn man zegt tegen de jongste: 'Mama praat niet tegen mij als mama, ze doet alsof ze een vriendin van vroeger is, Valéry noemt zij die vriendin.'

'Mama wordt oud,' antwoordt Maarten, maar zijn vader stelde hem geen vraag.

'Zij zal in een verzorgingstehuis opgenomen moeten worden, papa, om jou die verschrikkelijke zorg te ontnemen. Je kunt het bijna niet meer aan,' zegt de jonge vrouw. Ze laat haar blik over het schilderij glijden: 'Goed dat u het portret heeft laten maken, vader, dan heeft u in elk geval een mooie herinnering.'

Dan de andere vrouw, degene die het langst tot de familie behoort: 'Dan kunt u het leven weer van de lichte kant beschouwen.' Ze strekt met een iets hol gehouden hand over het zijdezachte haar van haar kind.

Waaraan heb ik dit verdiend? Ik weet niet alles meer, ik besef het, wie onthoudt er dan alles, dat kan niet. Ik ben veel vergeten, maar niet weten is niet hetzelfde als vergeten. Ik vergeet ook wel dingen, zeker, soms schrik ik zelf van mijn vergeetachtigheid, namen en gezichten, data, jaartallen, waar ik iets heb neergelegd of wat ik van plan was te doen. En het dan toch nalaat.

Ik heb me altijd ongerust gemaakt over de kinderen en was bang dat hun iets zou overkomen, dat ik op een keer bericht zou krijgen dat een van de twee verongelukt was. Als ze het huis uit liepen, de straat op of naar de stad, als ze op reis gingen, was ik elk ogenblik de meest bezorgde moeder op aarde.

Ik denk, en fluister de woorden hardop opdat zij, zonen, hun vrouwen, kleinkinderen het kunnen horen: 'We kunnen niet kiezen, in de liefde niet en in het leven niet, we worden gekozen; we kiezen onze kinderen niet, zij kiezen ons. Waarom worden we gekozen en kiezen we zelf niet? Daarom staan we zo open voor pijn en verwondingen, ze zelf op te lopen, ze anderen aan te doen, we hebben immers geen keuze. Ik moet nog heel lang leven om hierachter zien te komen.'

Mijn man weet de kleinkinderen uit elkaar te

houden; ik niet. Thomas, Lia, Leonie, Elsbeth, is er ook niet een meisje dat Margje heet...? Hij vergist zich nooit. Ik vergiste me vroeger al in Maarten en Johan; wilde ik 'Maarten' roepen, zei ik 'Johan'. Of opeens was er een naam in mijn hoofd als 'Cornelis' van een mij onbekende man.

Ik kijk hen een voor een aan.

Ze heffen het glas, kijken elkaar aan, werpen dan een blik op het schilderij, ik hoor iemand zeggen 'een prachtig gelijkend schilderij, knap hoor, zo treffend mama te schilderen' – en dan klinken ze. Op het portret.

Ze zijn mij vergeten.

Mijn ogen gaan de kring rond. Dit is mijn familie, dit was ooit mijn gezin van man en drie zonen en kijk nu eens, ooit vormden we een gesloten eenheid, zo had ik dat het liefst, dit kleine gezin dat voor altijd hecht verbonden zou blijven. Maar sinds de jongens het huis verlaten hebben, is de samenhang verbroken. We zijn niet langer schakels in een ketting. De ketting van ons gezin is uit elkaar gevallen, de afzonderlijke schakels vormen nieuwe kettingen.

In de vroege ochtend is de hemel altijd leeg. De geluiden en drukte van overdag moeten nog komen. Kijk eens in mijn ogen, kijk naar mij, ik sta met lege handen.

Het is of ik droom... dit is mijn huis niet, ik ben verdwaald en in een ander huis terechtgekomen, ik herken de vloer niet, de schilderijen aan de muren zijn me vreemd... ik ben hier nooit eerder geweest, het is evenmin het huis in Sassenheim aan de Zandslootkade... ik weet niet waar ik woon... dit gezinshuis dat me nu wonderlijk vreemd is en waarvan ik altijd dacht dat het me aan het leven zou binden… ik wil ademen maar mijn adem stokt… ik wil kijken, leven, maar voor mijn ogen… uit mijn mond komt zwarte adem… niets… geen gezichten meer van de kinderen… ademen... vermoeden van iets groots dat mijn hand vasthoudt.

Envoi

Voor mijn moeder Maria Freriks-van der Voort

Tot besluit, het keerpunt, de wending: mevrouw J.M. Wensiez-Lankhorst is dankzij de 'sluimerwachtlijst' opgenomen in Huize Lindelaan. Daar bezoeken haar man, zonen en kleinkinderen haar regelmatig. In de vestibule hangt een bord met daarop de namen van de bewoners, geschilderd in sierlijke letters op kleine, houten bordjes.

In de tuin staan rode beukenbomen met een breed uitwaaierend bladerdek. Bij zonnig weer krijgen de bewoners, de 'gasten', een plaats op het terras onder de parasol. Door verpleegsters ondersteund worden ze naar de solide tuinstoelen geleid. Ze zitten in een kring. De ene gast is kinderrechter geweest, de andere lerares aan een middelbare school, een derde alleen huismoeder, zoals mevrouw Wensiez-Lankhorst. De meesten hebben verre reizen gemaakt, waren in Amerika of Azië, zelfs Australië, waarheen kinderen en kleinkinderen zijn vertrokken. Een mevrouw is de hele dag in de weer met een agenda, ze bladert er driftig in, wijst dagen aan. Een tweede praat hardop tegen iedereen die ze ziet over een man, die haar heeft verlaten. Een andere bewoonster leest met bovenmatige belangstelling de krant die ze op de kop houdt. Op donderdagochtend spelen de verzorgers ganzenbord met de gasten. Vrijdag woordraadsels, dinsdag is het kaartspel aan de beurt, klaverjassen. Ze bladeren in boeken over bloemen, planten, verre landen, tuinen.

Op de salontafel naast mevrouw Wensiez-Lankhorst ligt een boek dat *Nader tot U* heet van Gerard Kornelis van het Reve. Haar zoon Maarten, die van taal houdt, noch haar man begrijpen hoe zij in het bezit is gekomen van dit boek. Iemand moet het hebben achtergelaten. Mevrouw leest er elke dag in. Soms prevelt ze de woorden hardop. Maarten heeft er eens uit voorgelezen, het was een brief door de auteur in de nacht geschreven. Een nachtlied. Een andere brief uit dat boek is uitgewist door tranen. Mevrouw Wensiez glimlacht.

De kinderen of kleinkinderen zien de bewoners van Lindelaan maar zelden, soms nooit. Ook de levensgezellen laten het afweten, maar niet altijd, vrienden en vriendinnen ook; op den duur durven mensen van buitenaf het huis, waar een beklemmende sfeer heerst, soms stilte dan weer luidruchtigheid, niet binnen te gaan.

De mannen en vrouwen lijken door ieder familielid vergeten; ze luisteren naar hun eigen stem en gedachten, ze spreken in zichzelf, vaak zacht en zonder dat iemand het merkt. In hun ogen ligt een doffe glans van berusting, af en toe afgewisseld met een flits van boze verbittering.

Het is of ze afstand hebben gedaan of moeten doen van een gangbaar leven. Zelfs minimale handelingen als tandenpoetsen, bezoek aan de wc, naar bed gaan, een eigen maaltijd bereiden, een bad nemen, lezen, luisteren, een verhaal vertellen of dierbaren herkennen zijn de mensen verleerd, of beter: is hun ontnomen door een onbarmhartige hersenziekte. Zelfzorg zijn de bewoners van Lindelaan verleerd, decorumverlies en een vorm van doelloos wachten – maar waarop? – heersen. De intimiteit van hun bestaan is verloren gegaan. Toch zijn het geen vergeefse levens die de mensen leiden.

Niemand heeft enig inzicht in de tocht door een telkens ondoorzichtiger leven die zij elke dag moeten maken. Hun wonden zijn verborgen, worden gedragen in de beslotenheid van hun eigen hart of hoofd.

Dat deze mannen en vrouwen uit Lindelaan zich niet uiten, zich veelal opsluiten in zichzelf, heeft ermee te maken dat ze geen vertrouwen hebben in de meest eerlijke menselijke emotie: het vertrouwen dat anderen vergelijkbare wonden hebben en dat begrepen zal worden wat ze vertellen.

Daarom ook zijn ze eens begonnen een eigen verhaal te vertellen of een belevenis weer te geven, alsof het een verhaal is van een ander. Ze maken niet langer deel uit van de alledaagse woelingen en drukte van het bestaan. Steden als Amsterdam, Parijs of New York, waar ze misschien eens zijn geweest, zijn verdwenen uit hun geheugen. Van landschappen, bossen en een kustlijn langs zee blijft niet meer dan een flard over. Voordat de dood werkelijk zal komen, is hij overal al geweest, hij vergeet niets, hersencel na hersencel wordt vernietigd tot het hoofd een lege ruimte is.

Verouderen, verlies van geestelijke en lichamelijke vermogens: het kan jaren duren. Dementie, aderverkalking. De mens raakt alles kwijt, herinneringen vervagen, het onderscheid tussen gisteren of tien jaar geleden bestaat niet. Tijden lopen door elkaar heen. De bodem valt weg. De ziekte van de veroudering is een spons die de letters wegwist van het schoolbord en een zwart, leeg vlak achterlaat.

Deze mensen zijn opgejaagd naar de uiterste rand van het universum. Wat spookt in hun hoofd is de angst niet meer belangrijk te zijn, aan de zijkant te staan, overbodig te worden, geen echtgenoot, eega, vader of moeder of grootouder van betekenis te kunnen zijn. Een van hen zegt op een keer: 'Je bent een blad aan de boom en dat is alles.'

Ze horen stemmen en muziek die niemand hoort. Ze kunnen met niemand iets delen.

Hiermee hangt samen het gevoel niet mee te tellen, een woede en tegelijk trots bezitten maar het niet kunnen uitdrukken. De ontworteling die mevrouw Wensiez-Lankhorst de gedachte influisterde: 'Ik weet niet waar ik woon.'

Ze bezitten niet langer de overtuiging verwachtingsvol te kunnen zijn, de bron van elk bestaan, de reden om aan een nieuwe dag te beginnen. Dat maakt hen kwaad of simpelweg weemoedig. Dat zorgt ervoor dat ze afscheid van de wereld hebben genomen, het hoofd hebben afgewend, hun hart tot stilte gemaand, ver voordat iemand uit hun nabije omgeving het in de gaten had.

De bewegingen van hun leven worden steeds duisterder, alsof zij een schipper zijn die niet weet waarheen hij koerst. De zeekaart is verkreukeld en gescheurd, de windroos wijst de verkeerde kant uit en het kompas is in het ongerede geraakt. Uit onverwachte hoek steekt een onverwachte wind op die de zeilen vult en de vaste richting van hen, bijna drenkelingen, verandert.

Dan gaan ze verder over mistige of woelige wateren en wie weet vinden ze in die doelloze tocht iets van vrede. Ze komen terecht op een plaats in de hoek van een kamer in Lindelaan bijvoorbeeld, waar ze alleen kunnen zijn met hun gedachten. Misschien overvalt de mensen hier het idee dat alles volledig is, in rust, hier kunnen ze naar hartenlust confabuleren, hier heeft alles met alles te maken, een bloeiende plant is het gezicht van hun dierbaarste kleinkind, het schilderij aan de muur stelt een huis voor waar ze naar binnen kunnen gaan en denken dat ze voor altijd teruggekeerd zijn naar het vertrouwde woonhuis van vroeger, het huis van hun prille jeugd. De verzorgers en verzorgsters zijn net hun eigen zonen of dochters en de oude man daar in de leunstoel die een dichtgeslagen krant met een trillende hand vasthoudt, is net hun vader.

Ze bevinden zich in nieuwe werelden. Een vrouw uit Lindelaan beschreef dat gevoel eens met de volgende woorden: 'Laat me niet alleen dwalen in die duisternis waar ik geen weg weet en die voor mij onbegrijpelijk is.'

Tot die wereld heeft niemand toegang.

Mevrouw Wensiez is vastgelegd in het portret dat de schilder van haar heeft gemaakt. Zij zal niet vergeten worden. Ze leeft en leeft tegelijkertijd niet, ze vertelt verhalen en tegelijk zijn deze verhalen voor de luisteraar ondraaglijk, want onnavolgbaar. Haar taal is niet meer de onze. Zij is een cryptogram, een raadsel.

Haar glimlach geldt een door tranen uitgewiste brief.

Zij is verdwenen uit deze vertrouwde wereld, en toch vind ik haar terug.

Colofon

Dahlia's en sneeuw van Kester Freriks werd in opdracht van Uitgeverij Conserve gezet uit de Palatino corps 11/13 punts door BeCo DTP-Productions te Epe en gedrukt door drukkerij Hooiberg te Epe en gebrocheerd door binderij Embé in Meppel.
Omslag: Menso Kamerlingh Onnes: *Portret van Jenny Kamerlingh Onnes*, 1888. Stedelijk Museum De Lakenhal, Leiden.
Ontwerp: Jeroen Klaver
Typografie: Bert Hanekamp
Foto auteur: Chris van Houts

1e druk: februari 2008

Uitgeverij Conserve
Postbus 74, 1870 AB Schoorl
Tel 072-509 3693 Fax 072-509 4370
E-mail: info@conserve.nl
uitgeverij.conserve@wxs.nl
Website: www.conserve.nl
www.kesterfreriks.nl

In 2005 verscheen bij Uitgeverij Conserve van dezelfde auteur *Madelon. Het verborgen leven van Madelon Székely-Lulofs*, roman.

'Het werd stil tussen hen, moeder en zoon. Het enige wat Harry hoorde was de weerkaatsing van haar stem tegen de muren van de Mariënlose villa, die ineen leek te storten. Hij zocht haar ogen. Nooit, in geen enkele warme zomer, zou ze meer dorst hebben.

Ze had nauwelijks uit het glas gedronken. Haar hart was op de vlucht gegaan.' (Fragment)

In voorbereiding *Gehuwde dochter*, roman.

'Het schemerdonker was over het landschap gevallen, alleen hoog aan de hemel in westelijke richting waren vegen vaalwit te zien. De zon was achter de horizon verdwenen.

Marcus Musea ging na de geboorte van zijn dochter onderweg van Amsterdam naar Friesland, naar het gehucht Hemrik, naar een huis verscholen aan de bosrand. Viola was ter wereld gekomen met een afwijkende bloedgroep. Alles van gratie en schoonheid dat je aan het hart wilt drukken, heeft een gemeenschappelijke oorsprong in pijn.' (Fragment)